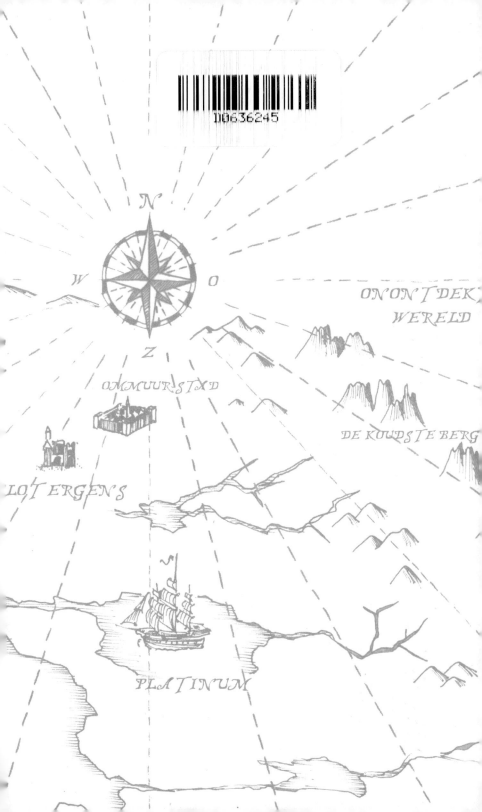

10636245

N

W   O

Z

ON'ONTDEK
WERELD

OMMUUR·STAD

DE KOUDSTE BERG

LOTERGEN'S

PLATINUM

Het verraad van Zilver

Stan van Elderen

Het verraad van Zilver

GESCHREVEN
Bibliotheek Heerenveen

Van Goor

STICHTING NEDERLANDSE
KINDERJURY
2006

ISBN 90 00 03666 6
NUR 283

© 2005 Stan van Elderen
© 2005 voor deze uitgave Van Goor, Amsterdam
omslagontwerp Anoushka van Velzen
omslagtypografie Marieke Oele
www.van-goor.nl

Niets uit deze uitgave mag worden verveelvoudigd en/of openbaar gemaakt door middel van druk, fotokopie, microfilm of op welke wijze ook, zonder voorafgaande schriftelijke toestemming van de uitgever.

- 1 -

Julius Meridiaan

Toen Olivier 's ochtends de grote eetzaal van Slot Ergens binnenkwam, zat zijn vader, de baron Van Daar tot Hier, al aan de ontbijttafel.

Het gezicht van de baron stond op onweer. 'Mijn uurwerk,' foeterde hij. Hij hield zijn gouden zakhorloge aan de ketting omhoog en wierp het kleinood over de rand van zijn brilletje een boze blik toe. 'Nog nooit stuk geweest. Nog nooit, Olivier, niet één keer, zolang ik het al heb. En dan laat het me op dertig december in de steek. Dertig december! Alsof ik met die festiviteiten van morgenavond al niet genoeg aan mijn hoofd heb.'

Olivier begreep niet waarom zijn vader zich daar zo druk over maakte. Voor het feest was bij zijn weten het meeste al geregeld. Dat beloofde prachtig te worden, met het grootste vuurwerk dat de mensen ooit hadden gezien. Eigenlijk waren het twee feesten in één. Een dubbelfeest. Als morgennacht de klok twaalf uur had geslagen, begon zowel het nieuwe jaar als Oliviers verjaardag. Zijn dertiende verjaardag.

Olivier liep naar de open haard waar Castor en Pollux, de twee sneeuwwitte hazewindhonden, voor het vuur lagen. Hij gaf ze een aai over hun kop. 'Hé, jongens.' Toen ging hij ook aan de ontbijttafel zitten en nam een slok melk. 'Is-ie stil blijven staan?' vroeg hij.

De baron schudde zijn hoofd. 'Loopt achteruit,' bromde hij. 'Heb je het ooit zo zout gegeten? Wat heb ik nou aan een horloge dat achteruitloopt?' Hij haakte de ketting los van zijn vest en legde het horloge voorzichtig op tafel.

'Niks,' zei Olivier. 'Het moet gerepareerd worden.' Hij was allang blij dat hij weer eens met zijn vader kon praten. De afgelopen twee maanden had hij hem nauwelijks gezien. De baron was van 's ochtends vroeg tot 's avonds laat aan het werk geweest, de meeste tijd in de oostvleugel van Slot Ergens, in de portrettenzaal. Wat hij daar deed was geheim, zelfs voor Olivier. De deur zat altijd op slot en er gebeurden vreemde dingen. Olivier had het geklop van een hamer gehoord en de geur van verf geroken. Hij had zijn vader al eens naar buiten zien komen met een paar houtkrullen in zijn haar. En een week geleden nog had er een veeg rode verf aan zijn vingers gezeten.

Er was maar één conclusie mogelijk: de baron was aan het klussen. Het probleem was alleen dat de baron niet kluste. Daar had hij zijn personeel voor.

Een klussende baron, dat was te belachelijk voor woorden. Olivier wist niet eens dat zijn vader een hamer kon vasthouden. En gereedschap in de portrettenzaal, dat klopte ook al niet. Het was een grote kamer vol schilderijen, oude, kostbare portretten van Oliviers voorouders. Niet de meest voor de hand liggende plaats om te gaan lopen klussen dus, zeker niet met twaalf generaties Van Daar tot Hier die je vanaf de muren op je vingers keken.

Olivier kwam maar zelden in de portrettenzaal. Als hij er kwam was het eigenlijk alleen maar om weer eens naar het schilderij van zijn moeder te kijken, zijn moeder die hij nooit had gekend omdat ze een paar maanden na zijn geboorte overleden was.

'Bent u nog op tijd klaar?' vroeg hij aan zijn vader.

'Wat bedoel je?' vroeg de baron.

'U weet heel goed wat ik bedoel,' grinnikte Olivier. 'De portrettenzaal. Uw geheime project. Volgens mij bent u iets voor mijn verjaardag aan het bekokstoven. Klopt, hè?'

De baron trok zijn wenkbrauwen op. 'Geen idee waar je het over hebt.'

'Dan kan ik zeker wel even gaan kijken?' probeerde Olivier.

'Je blijft uit de buurt van de portrettenzaal, hoor je me?' riep de baron. 'En laat ik vooral niet merken dat je de deur openmaakt met een van die vaardigheden van je, want dan zwaait er wat. Op slot betekent op slot.'

Olivier grijnsde. Tegen een klein zetje met de Vierde Vaardigheid was geen enkel slot bestand. 'Olivier,' zei de baron dreigend, 'je weet wat we hebben afgesproken.' Hij zuchtte. 'Soms zou ik willen dat ik nooit van het woord magie had gehoord. Het is hier het afgelopen jaar een gekkenhuis geweest. Een gekkenhuis! En nu loopt tot overmaat van ramp mijn horloge ook nog eens achteruit. Het mag een wonder heten dat ik mijn verstand niet verlies.'

Het was inderdaad een gekkenhuis geweest, dacht Olivier. Het jaar was rustig genoeg begonnen. Naar school, beetje paardrijden, en kattenkwaad uithalen met Bart Bariton, zijn beste vriend in heel de Ontdekte Wereld. Allemaal heel normale dingen. Tot ze in het voorjaar onverwachts bezoek hadden gekregen van Quovadis, tovenaar en eerste raadsheer van de koning. Toen was het allemaal begonnen. In een razende stroomversnelling geraakt kon je beter zeggen. Quovadis was degene die Olivier over zijn magische talenten had verteld, die hem samen met Bart had meegesleurd naar een onbekende wereld. De wereld van tovenaars en koningen, driekwarters en kraaien, de wereld van Kratau, de verrader.

En daar was het niet eens bij gebleven want in het najaar was het weer raak geweest, een stuk dichter bij huis en met een vijand die nóg gevaarlijker was. Izegrim, en de vloek van de magiër. Het harnas in

Oliviers slaapkamer herinnerde hem er elke avond weer aan wat zich in de catacomben onder Slot Ergens had afgespeeld. Maar hoe verschrikkelijk het gevecht met Izegrim ook was geweest, de meeste van Oliviers nachtmerries gingen nog altijd over Kratau.

Olivier van Daar tot Hier, tovenaar. Zelfs nu, na al die maanden, klonk dat nog steeds heel raar. Als hij in de spiegel keek zag hij gewoon een jongen met bruin krullend haar en groene ogen. Maar er was geen ontkomen aan. Hij was geboren met de Zeven Magische Vaardigheden. De Stralen van Licht, de Adem van Wind, de Hitte van Vuur, de Kracht van Energie, de Golven van Water, de Bevelen van Stem en de Schaduw van Duisternis, Olivier beheerste ze allemaal. En dat maakte hem een tovenaar. Voorgoed. De dertiende tovenaar van de Ontdekte Wereld.

'Als jij mijn horloge eens even voor me wegbracht,' zei de baron. 'Ik heb nog een hoop te doen. Weet je waar je moet zijn?'

'De goudsmid,' knikte Olivier.

'Ben je helemaal bedonderd. Niks goudsmid. Dit klokje is antiek. Er zit een horlogemaker in de Smalle Steeg, achter het raadhuis. Julius Meridiaan.'

'Nooit van gehoord,' zei Olivier. Hij had altijd gedacht dat de goudsmid de enige in Ommuur-Stad was die wist hoe je klokken moest repareren.

'Het is maar een klein winkeltje,' bromde de baron, 'en hij is nogal op zichzelf. Beetje een rare snuiter. Maar ook een vakman van de oude stempel. Dat vindt iedereen. Een meesteruurwerkmaker. Zeg maar dat ik je gestuurd heb en dat hij er meteen aan moet beginnen. Des te sneller heb ik het weer terug.'

'Geen probleem,' zei Olivier.

'En zorg er in 's hemelsnaam voor dat je het niet verliest of laat vallen,' zei de baron terwijl hij het horloge aan Olivier overhandigde. 'Het is een erfstuk en ik ben er bijzonder aan gehecht.'

'Geen probleem,' zei Olivier nog een keer.

Er was de afgelopen nacht een flink pak sneeuw gevallen en in Ommuur-Stad waren de meeste mensen extra vroeg opgestaan om de straten en stoepen weer begaanbaar te maken. Maar in de Smalle Steeg achter het raadhuis waren ze blijkbaar nog niet uit de veren. Bij elke stap zakte Olivier tot de rand van zijn laarzen in de sneeuw.

Hij bleef staan voor de kleine winkel van de uurwerkmaker. Aan het uithangbord glinsterden lange ijspegels. *Julius Meridiaan, Uurwerken, Tijdwijzers, Pendules* stond er in sierlijke schrijfletters.

Olivier wreef een stukje bevroren ruit schoon en tuurde naar binnen. De klokken in de etalage gaven bijna negen uur aan. Er stond een werktafel en in de hoek brandde een potkachel. Achter in de winkel liep een trap naar de eerste verdieping.

De deur bleek niet op slot te zitten. Olivier duwde hem verder open en probeerde ervoor te zorgen dat hij niet te veel sneeuw mee naar binnen nam. Er klingelde een belletje en tegen de tijd dat de deur weer dicht was, stond Julius Meridiaan voor zijn neus.

De uurwerkmaker had een gerimpeld gezicht, heldere lichtblauwe oogjes en een grote bos spierwit haar dat alle kanten op stak. Hij droeg een verschoten groensatijnen jasje en op zijn schouder zat een donkere vogel die Olivier nieuwsgierig aanstaarde.

'Goedemorgen, meneer Meridiaan,' zei Olivier. 'Ik ben toch niet te vroeg, hoop ik?'

De uurwerkmaker glimlachte en prikte met zijn vinger in de lucht. Meteen begonnen alle klokken in het winkeltje negen uur te slaan, honderden klokken, tegelijkertijd. Het geluid kwam van alle kanten en Olivier wist niet waar hij moest kijken. Het was een ware kakofonie van ratelende tandwielen, zilveren getingel en bronzen gegalm. Olivier dacht zelfs een koekkoek te horen, maar hij kon de bijbehorende klok niet zo snel ontdekken.

Meneer Meridiaan wachtte geduldig tot de laatste klok geslagen had. 'Vijf seconden,' zei hij toen de rust was weergekeerd.

'Vijf seconden, vijf seconden,' kraste de vogel.

'Pardon?' zei Olivier.

'Te vroeg, jongeman. Ik ga precies om negen uur open. U was vijf seconden te vroeg.'

'O,' zei Olivier die niet goed wist wat hij daar nu op moest zeggen. De uurwerkmaker hield zijn hoofd opzij, alsof hij twijfelde. 'We zouden natuurlijk ook kunnen zeggen dat hij te laat is,' zei hij tegen de vogel, 'nietwaar, Melchior?'

De vogel hopte opgewonden op en neer. 'Te laat!' kraste hij.

Olivier begreep er niets van. 'Te laat? Hoe kan ik nou te laat zijn als ik te vroeg was?'

'Heel eenvoudig. Ik ging gisteren om vijf uur dicht. Zoals altijd, overigens. Klokslag vijf uur. Sluitingstijd.'

'Ja?' zei Olivier aarzelend.

'Ziet u niet wat ik bedoel? Als we daarvan uitgaan, bent u maar liefst vijftien uur, negenenvijftig minuten en vijfenvijftig seconden te laat.'

'Juist,' zei Olivier. Hij had het gevoel dat hij vreselijk in de maling werd genomen.

'Maar daar kwam u natuurlijk niet voor,' zei meneer Meridiaan met pretlichtjes in zijn ogen. 'Wat kan ik voor u doen?'

'Het horloge van mijn vader,' zei Olivier. Hij deed zijn handschoenen uit en haalde het uurwerk uit de binnenzak van zijn jas tevoorschijn. 'Het loopt achteruit. Vader wil het...' Verder kwam hij niet. De mond van meneer Meridiaan was opengezakt en hij staarde vol bewondering naar het horloge.

'Waar hebt u dat vandaan?'

'Dit?' zei Olivier. 'Dat zei ik al. Het is van mijn vader. En die heeft het weer van zijn vader, en die van zijn vader. Het is een familiestuk. Mijn naam is Van Daar tot Hier. Hij is…'

'De baron,' knikte de uurwerkmaker die zijn ogen niet van het horloge af kon houden. 'Maar natuurlijk, dan bent u jonkheer Olivier.' Hij stak zijn hand uit. 'Mag ik?'

Olivier knikte.

'Van Daar tot Hier. Olivier!' krijste Melchior triomfantelijk.

Meneer Meridiaan leek het niet eens te horen. Met trillende vingers hield hij het zakhorloge aan de ketting omhoog. Het gouden klokje flonkerde in het licht dat door het etalageraam naar binnen viel.

Met zijn andere hand knipte de uurwerkmaker het deksel open waardoor de wijzers zichtbaar werden. 'Moet je nou toch eens kijken, Melchior,' zei hij zachtjes, bijna ontroerd, 'wat een details, wat een afwerking. Prachtig! Werkelijk prachtig!' Hij klonk trots, alsof hij het horloge zelf had gemaakt. 'Echt vakmanschap, het beste dat ik ooit heb gezien. Zo worden ze niet meer gemaakt. Wat was er mis mee, zei u?'

'Het loopt achteruit,' zei Olivier.

'Verdraaid, ik zie het, ja. Merkwaardig.'

'Vader wil het in ieder geval zo snel mogelijk terug hebben, hij kan eigenlijk niet zonder. Denkt u dat u het kunt repareren? Vandaag nog?'

'U hebt het gelukkig naar het enige juiste adres gebracht,' zei de uurwerkmaker. 'Als het klaar is kom ik het zelf wel even brengen. Vanavond. Ik zal zorgen dat ik er om acht uur ben. Acht uur precies. Komt dat uit?'

'U bent van harte welkom,' zei Olivier.

'Welkom!' kraste Melchior.

Meneer Meridiaan knikte. 'Als u het niet erg vindt, ga ik meteen aan de slag. Het komt niet vaak voor dat ik aan zoiets moois mag werken.'

'Geen enkel probleem,' zei Olivier. 'Wat is dat eigenlijk voor een vogel? Ik heb nog nooit een vogel gehoord die zo goed kan praten.'

'Melchior is een beo.'

'Beo is een Melchior,' kraste de vogel.

Olivier grinnikte. Hij deed zijn jas dicht en trok zijn handschoenen aan. De sneeuw rond zijn voeten was gesmolten en er lag een plas water op de houten vloer. 'O, pardon,' zei hij tegen de uurwerkmaker.

'Geeft niets,' glimlachte meneer Meridiaan, 'dat droogt wel weer op.'

'Tot vanavond dan.' Olivier liep naar buiten. Toen hij op de hoek van de straat nog een keer omkeek zag hij nog net hoe de uurwerkmaker een bordje met daarop *Gesloten* aan de deur hing.

- 2 -

Een vreemde vreemdeling

Julius Meridiaan ging aan zijn werktafel zitten. Voor hem, op een fluwelen doek, lag het uurwerk van de baron.

Hij klemde een loep in zijn rechteroog en bestudeerde het gouden klokje van alle kanten. 'Onmiskenbaar,' fluisterde hij opgewonden. 'Marius de Grote. Ongelooflijk, wat een ontdekking, Melchior.' Hij aaide de vogel en gaf hem een nootje. 'Een van zijn meesterwerken. En nog puntgaaf, zelfs na al die tijd.'

De wijzers draaiden nog steeds achteruit. 'Vreemd,' mompelde hij. Voorzichtig schroefde hij het horloge open waardoor het binnenwerk zichtbaar werd. 'Mmm. Ingewikkeld mechanisme.'

Ingespannen tuurde hij naar de bewegende radertjes en veertjes. Zonder enige aanleiding hield het horloge er ineens mee op en nog geen tel later begon alles de andere kant op te draaien. De goede kant. 'Wat krijgen we nou?' zei hij hardop.

'Ahum,' klonk het achter hem.

Julius Meridiaan schrok zo, dat hij het horloge van de baron bijna uit zijn handen liet vallen. Hij keek op. In de winkel stond een vreemdeling. Blijkbaar had hij het bordje op de deur niet gezien. Hij droeg een lange mantel en zijn ogen waren ijzig blauw, nog lichter dan die van Julius Meridiaan zelf.

'Goedemorgen, meneer, ik had u niet binnen horen komen. Het spijt me, maar ik ben vandaag gesloten. Een spoedopdracht, begrijpt u.'

De vreemdeling gaf geen antwoord. Met een geamuseerd glimlachje nam hij het interieur van de winkel in zich op. Toen viel zijn blik op het horloge van de baron. Zijn glimlach werd breder. 'Fraai uurwerk hebt u daar,' zei hij. 'Oud zeker?'

'Minstens driehonderd jaar,' antwoordde Julius Meridiaan.

'Driehonderd jaar.' De vreemdeling knikte langzaam. 'Dat is een lange tijd.' Hij keek nog eens om zich heen. 'Dan moet het wel kostbaar zijn.'

'Uiterst kostbaar,' knikte de uurwerkmaker. Ik had de deur op slot moeten doen, dacht hij. Er was iets aan de vreemdeling dat hem stoorde. Hij wist niet precies wat, maar het beviel hem niet. Misschien die arrogante glimlach. Die had eigenlijk meer weg van een grijns. Melchior voelde het ook, merkte hij. De vogel was stil en hopte zenuwachtig van zijn ene naar zijn andere schouder.

'Ik ben een vermogend man,' zei de vreemdeling,

'en ik verzamel uurwerken. Oude uurwerken.'

'Dit horloge is niet te koop,' zei Julius Meridiaan.

Er flitste iets door de ogen van de vreemdeling.

'Het is niet eens van mij,' zei Julius Meridiaan.

'Van wie dan wel? Misschien kan ik de eigenaar een passend bod doen.'

'De baron Van Daar tot Hier. Maar ik denk niet dat hij het zal willen verkopen. Hij is zelf ook vermogend en als ik zijn zoon goed heb begrepen, is hij er erg aan gehecht. Het is een familiestuk.'

'Van Daar tot Hier, zegt u? Een baron. Zo, zo, interessant. En u bent?'

'Julius Meridiaan. Meesteruurwerkmaker.'

'Meridiaan,' grijnsde de vreemdeling. 'Maar natuurlijk. Zeg me eens, meester Meridiaan, dat uurwerk, wat is ermee aan de hand?'

'Loopt achteruit,' antwoordde Julius Meridiaan. Hij voelde zich steeds ongemakkelijker worden. Wat moest dat met al die rare vragen? 'En het moet vanavond klaar zijn.'

'Vanavond, zei u? Dan zal ik u niet langer van uw werk houden. Nog een laatste vraag. Is er misschien een herberg in de buurt?'

'Er zijn verschillende herbergen in Ommuur-Stad,' knikte Julius Meridiaan, 'maar als u van lekker eten houdt, zou ik voor herberg Hemel en Aarde kiezen.'

De vreemdeling trok vragend zijn wenkbrauwen op.

'O, ja, u bent natuurlijk niet van hier. U gaat rechtsaf. En dan de tweede straat links. U kunt het niet missen.'

'Dank u,' glimlachte de vreemdeling, 'voor uw tijd.' Dat laatste was blijkbaar erg grappig want hij moest lachen om zijn eigen woorden. Toen draaide hij zich om en deed de deur open. Op de drempel bleef hij even staan en trok zijn mantel wat dichter om zich heen.

'Winter,' hoorde Julius Meridiaan hem nog zeggen. Het klonk bijna verbaasd. Toen was hij verdwenen.

De uurwerkmaker slaakte een zucht van verlichting. Wat een onaangenaam figuur, dacht hij. Toen schudde hij zijn hoofd. Hij moest aan de slag.

Niet veel later was Julius Meridiaan de vreemdeling en zijn vreemde vragen helemaal vergeten, en de rest van de wereld ook. Hij had alleen nog maar aandacht voor de mechanische geheimen van het gouden uurwerk.

Waarschijnlijk was dat de reden waarom het hem niet opviel, iets wat niet helemaal klopte. Op de plek waar Olivier had gestaan lag namelijk nog steeds een plas water. Maar op de plek waar de vreemdeling had gestaan was de vloer kurkdroog.

- 3 -

Wedstrijdje

Diezelfde middag werd er aan de zuidkant van Slot Ergens geschaatst. Het was traditie dat de kinderen uit Ommuur-Stad mochten komen schaatsen als het ijs dik genoeg was. Hoewel iedereen eigenlijk veel te druk was met de voorbereidingen van het feest van morgen, had de baron toch opdracht gegeven het ijs sneeuwvrij te maken. Hij hechtte nou eenmaal grote waarde aan tradities.

Het begon al een beetje te schemeren en de butler, gehuld in een lange overjas, ontstak de lampionnen die aan deze kant van de vijver boven het ijs hingen, in alle kleuren van de regenboog. De kok, die in zijn winterkleding nog dikker leek dan normaal, opende het stalletje waar je erwtensoep met worst en warme chocolademelk met slagroom kon krijgen, zoveel je maar wilde.

'Olivier!'

Olivier zette zijn schaatsen dwars op het ijs en remde hard. Op de oever stond een meisje naar hem te zwaaien. Haar zwarte haar werd door een wollen muts in bedwang gehouden.

'Aurora! Daar ben je eindelijk! We hadden je gisteren al verwacht.'

'Ik weet het,' zei het meisje. 'Maar het weer in Platinum was zo slecht dat ik een dag later ben vertrokken.'

Platinum was de drijvende hoofdstad van het Eerste Koninkrijk. Daar had Olivier Aurora voor het eerst ontmoet, in het voorjaar. Ze hadden samen heel wat meegemaakt en hij had haar uitgenodigd voor zijn verjaardag.

'Maakt niet uit,' glimlachte Olivier. 'Je bent er, dat is het belangrijkste. Heb je je schaatsen bij je?'

'Tuurlijk.' Aurora hield ze omhoog. 'Wat denk je van een wedstrijdje?'

'Aurora!'

Bart Bariton maakte een scherpe bocht en remde pas op het allerlaatste moment. 'Daar ben je eindelijk. Zei jij schaatswedstrijd?' Bart had groene ogen en bruin krullend haar, net als Olivier. De twee vrienden leken zelfs zo veel op elkaar dat mensen soms dachten dat ze broers waren.

'Ha, die Bart. Ja, een wedstrijdje. Lijkt je dat wat?'

'Geweldig idee,' zei Bart. 'Wie tegen wie?'

'Eerst daag ik Olivier uit,' grinnikte Aurora, 'en daarna ben jij aan de beurt.'

'Dat ga je verliezen,' grijnsde Olivier.

'Dat zullen we nog wel eens zien.'

'Maakt allemaal niet uit, jongens,' zei Bart, 'want ik win van jullie allebei.'

Even later was alles georganiseerd. De andere kinderen stonden langs de kant. De kok was tot scheidsrechter gebombardeerd en schuifelde voorzichtig het ijs op. Bart legde zijn handschoenen neer, een paar meter uit elkaar. 'Start en finish,' legde hij uit.

'Eén ronde langs de oever!' riep de kok met hese stem. 'Deze race gaat tussen jonkheer Olivier en juffrouw Aurora. Wie als eerste over de streep komt, heeft gewonnen.'

'Echt waar, chef?' vroeg Bart. 'Dus als ik het goed begrijp...'

De kok grinnikte. '...heeft de laatste verloren. Klopt, meneer wijsneus. Jonkheer, mejuffrouw, klaar voor de start?'

Olivier trok de riemen waarmee de ijzers aan zijn schoenen zaten nog eens extra goed aan, bukte zich en zette één hand op het ijs. Naast hem deed Aurora hetzelfde.

'Ik wacht op je bij de finish,' lachte ze.

'Dan zul je me toch eerst moeten inhalen,' zei Olivier.

'Makkie,' zei Aurora.

De kok stak zijn arm onhoog. Geconcentreerd blikte Olivier in de verte.

'Klaar! Af!'

Ze schoten met snelle korte slagen weg. Op de oever begon iedereen te juichen. De wind suisde door

Oliviers haar en zijn schaatsen krasten over het ijs.

Het ging meteen heel hard, maar Aurora hield hem schijnbaar zonder moeite bij. Ze was een paar jaar ouder, en heel sportief, maar dat telde allemaal niet. Olivier moest hoe dan ook winnen, anders zou Bart hem nog jaren pesten met het feit dat hij van een meisje verloren had.

Hij begon harder te schaatsen. Aurora deed hetzelfde.

Ze vlogen langs de oever naar de andere kant van de vijver waar dikke bomen tot aan het water groeiden. Het licht van de lampionnen reikte niet zo ver en het werd donkerder. Ook het gejuich en de aanmoedigingen van de toeschouwers klonken al wat minder hard.

Olivier hoorde het krassen van zijn schaatsen en zag dat Aurora hem nog steeds bijhield. Ze leek helemaal niet moe. Ze zag hem kijken en grijnsde. 'Kom op, slome!'

Olivier zette nog eens aan en slaagde er uiteindelijk in om haar voor te komen.

Ze vlogen verder.

Diep voorovergebogen bereikte Olivier als eerste de overkant. Halverwege. Maar Aurora zat hem vlak op de hielen.

Olivier volgde de contouren van de vijver en verdween onder de takken van de bomen die ver over het ijs staken.

In een flits dacht hij vanuit zijn ooghoek een plotselinge beweging op de oever te zien, een donkere schaduw achter de stam van een boom. Heel even was hij er door afgeleid, maar toen was hij er alweer voorbij. Net op tijd om het wak te zien, nog geen twee meter verderop. Het zwarte water likte met kleine golfjes aan het ijs.

Waar kwam dat vandaan? Olivier sperde geschrokken zijn ogen open en deed het enige wat hij kon bedenken: hij schreeuwde een waarschuwing, zette af en sprong.

Doordat het zo hard ging, vloog hij over het wak. Maar op het moment dat hij landde, met een flinke smak, klonk er een kreet en een plons.

Aurora!

Olivier remde en draaide. Aurora was verdwenen! Hij begreep meteen wat er gebeurd was: ze was onder het ijs gegleden!

Olivier wist hoe gevaarlijk dat was. IJskoud water, een dak van ijs boven je hoofd, geen kans om boven te komen, ademnood. Aurora kon doodgaan! Hij liet zich op zijn knieën vallen en probeerde door het ijs een glimp van haar op te vangen. Hij moest haar vinden, voor het te laat was.

Daar! Aurora's handen, klauwend naar de ijslaag. Haar ogen staarden hem vanuit een bleek gezicht aan. Haar haren golfden traag om haar hoofd. Wat moest hij doen?

Snel blikte Olivier opzij. Er kwamen al andere kinderen aan, schaatsend, schreeuwend en gebarend, Bart voorop. De kok en de butler glibberden op hun schoenen achter hen aan. Maar iedereen was te ver weg om te kunnen helpen.

Hij moest zijn gave gebruiken, wist Olivier, dat was Aurora's enige kans. Hij liep het risico dat iemand iets zou merken maar dat moest dan maar. Zelfs zijn vader zou begrijpen dat hij niet anders kon.

De baron was er pertinent op tegen dat Olivier zijn magische krachten in het openbaar gebruikte. Een paar maanden geleden had Olivier hem daar namelijk behoorlijk mee in verlegenheid gebracht. Dat was gelukkig met een sisser afgelopen, maar nog steeds deden in Ommuur-Stad allerlei geruchten over Olivier de ronde.

Hij concentreerde zich. Onmiddellijk ontstond het bekende gevoel in zijn hoofd, een krachtige energie die een uitweg naar buiten zocht. Dat was de Vierde Vaardigheid, iets waar Olivier een natuurlijke aanleg voor had. Hij voelde zijn krachten uitdijen. Toen gaf hij Aurora een duwtje met zijn geest.

Als door een onzichtbare hand werd ze naar het open water van het wak geduwd. Op zijn buik gleed Olivier erachteraan. Hij stak zijn handen in het water en realiseerde zich met een schok hoe ijzig koud het was. Hij greep Aurora bij haar schouders en trok haar hoofd boven water. Met een gierend geluid hapte ze naar adem. Maar Olivier kreeg haar er zo liggend op zijn buik niet verder uit.

'Bart!' gilde hij. 'Niet te dichtbij, anders scheurt het ijs! Trek me naar je toe! Trek aan mijn benen!'

Even later lag Aurora rillend en klappertandend op het ijs.

Gewikkeld in de jas van de butler droeg de kok haar zo snel zijn korte beentjes het toelieten naar Slot Ergens. Olivier en Bart maakten hun schaatsen los en renden hem achterna.

De andere kinderen werden door de butler naar huis gestuurd en terwijl hij de lampionnen doofde begon het geluidloos te sneeuwen.

De baron stond met zijn handen op zijn rug voor het raam en staarde naar buiten. Het sneeuwde hard en de wind floot langs het slot. Als vanzelf ging zijn rechterhand naar zijn vestzak waar normaalgesproken zijn horloge zat. Geërgerd liet hij zijn hand weer zakken.

De deur van de grote eetzaal ging open. De baron draaide zich om. 'En? Hoe maakt Aurora het?'

'Goed,' zei Olivier.

'Ze slaapt,' zei Bart. 'Die heeft morgen weer volop praatjes.'

Ze gingen bij het haardvuur zitten. 'En niemand heeft gezien dat je magie hebt gebruikt?' vroeg de baron.

Olivier schudde zijn hoofd.

'Dat weet je zeker?'

'Ik heb het ook niet gezien, en ik was er als eerste bij,' zei Bart.

'Ik heb geluk gehad,' zei Olivier.

'Hoe bedoel je?'

'Er was iets tussen de bomen. Ik werd afgeleid. Een halve tel langer en ik had in dat wak gelegen, vader. En dan had ik mijn toverkracht op een heel wat opvallendere manier moeten gebruiken, want Aurora had me daar zonder hulp nooit op tijd uitgekregen.'

'Toverkracht,' bromde de baron, 'voor de ogen van alle kinderen uit Ommuur-Stad. Rampzalig.'

Olivier knikte. 'Maar ik snap nog steeds niets van dat wak,' zei hij. 'Het vriest al dagen. Het ijs is op sommige plaatsen wel een halve meter dik.'

'Dat wak lag op een gevaarlijke plek, jongen, dat had je moeten weten. Onder bomen wordt het minder koud. Onder bruggen is ijs ook altijd dunner. Maar je hebt inderdaad erg veel geluk gehad. En Aurora ook.'

'Toch vraag ik me af wat het kan zijn geweest, tussen die bomen.'

'Jij ziet werkelijk overal spoken, Olivier,' zei de baron ongeduldig. 'Misschien heb je het je wel verbeeld.'

'Dat zou kunnen,' zei Olivier. Maar hij wist bijna

zeker dat hij iets gezien had. Misschien een dier, dacht hij, een hert dat van hun aanwezigheid geschrokken was.

'We hoeven in ieder geval niet meer te gaan kijken,' zei Bart. 'De sneeuw heeft alle sporen allang uitgewist.'

'Precies,' zei de baron. 'Kom, we gaan eten. Ik heb vanavond nog het een en ander te doen.'

'In de portrettenzaal zeker,' zei Olivier met een knipoog naar Bart. Hij had zijn vriend allang over het geheime project van de baron verteld.

'En ik wil vanavond een beetje op tijd naar bed,' ging de baron onverstoorbaar verder. 'Het wordt morgen al laat genoeg. Dat zouden jullie ook moeten doen, op tijd gaan slapen.'

'We hoeven vanavond in ieder geval niet te wachten tot meneer Meridiaan langskomt,' zei Olivier. Hij wees naar het raam waar de sneeuwvlokken bijna horizontaal voorbijschoten.

'Hoe bedoel je?' vroeg de baron. 'Vanwege dat beetje sneeuw? Wat een onzin.' Hij klopte op zijn lege vestzak. 'Hij zorgt maar dat hij langskomt,' mopperde hij, 'anders ga ik de volgende keer naar de goudsmid.'

- 4 -

Een ongenode gast

Olivier droomde.

In zijn droom vloog hij zomaar door het raam zijn slaapkamer uit, steeds hoger, tot hij hoog boven de torens van Slot Ergens hing.

Ik kan niet vallen, dacht Olivier met een glimlach. Je kunt niet vallen als je eigenlijk nog in bed ligt. Hij voelde zich licht als een veertje en liet zich door het nachtelijke briesje meevoeren.

Even later hing hij boven Ommuur-Stad. Hij herkende het huis van Bart. Als vanzelf dook hij erop af en blikte door het raam naar binnen. Bart lag op zijn rug in bed, hard te snurken.

Voor Olivier op het raam kon tikken schoot hij weer omhoog. De droom had hem in zijn greep. Ommuur-Stad verdween en de aarde draaide onder hem door, velden, wegen en boerderijen. Olivier voelde de sensatie van snelheid. Voor hij het wist flitste hij over Platinum. Harder ging het, steeds harder. Hij voelde hoe de wind aan zijn pyjama trok. De bossen en de velden werden een streep. Aan de horizon groeiden de Koudste Bergen. Ik vlieg naar het oosten, dacht Olivier. De bergen kwamen razendsnel dichterbij. Hij wist wat er aan de andere kant van die bergen lag. Het Dertiende Koninkrijk. Beelden van ruïnes, monsters en een donkere schaduw met felle ogen verschenen in zijn hoofd.

De droom werd een nachtmerrie. Hij probeerde af te remmen, om te draaien, wakker te worden, maar dat ging niet. In paniek zag Olivier de muren van de Koudste Bergen op zich af komen. Hij wilde niet zien wat er aan de andere kant lag. Hij probeerde zijn ogen dicht te knijpen maar ook dat wilde niet lukken. IJzige toppen schoten onder zijn voeten door. En ineens hing hij stil in de lucht. Angstig keek Olivier om zich heen. Hij wist zeker dat er kraaien zouden zijn. Zwarte kraaien, met hun klauwen en hun glinsterende oogjes en hun scherpe snavels.

Met een ruk ging het weer verder. Verder richting het oosten.

En toen zag hij het liggen, in de verte: Zilver, de hoofdstad van het Dertiende Koninkrijk. De stad schitterde, een juweel dat boven op een afgeplatte berg lag. Olivier ving een glimp op van prachtige paleizen, hangende tuinen en een witmarmeren toegangsweg die zich vanaf de vlakte als een parelketting om de berg naar boven wond. Zo moet het er uit hebben gezien, dacht Olivier, voordat Kratau en zijn hordes de stad hadden verwoest. Kratau de gevallen tovenaar. Kratau de verrader.

Toen Olivier dichterbij kwam, vervaagde het beeld van wat Zilver ooit was geweest. Als een spookverschijning losten de hangende tuinen op in het niets, de paleizen verdwenen en de helderwitte trap werd grijs. Gebouwen verbrokkelden voor zijn ogen, alsof hij in een paar seconden zag wat driehonderd jaar had geduurd.

Boven het centrum bleef hij hangen. Van de oude stad was niet veel meer over. Olivier zag alleen ruïnes, en de langgerekte breuklijn die kriskras door de stad liep, dwars door overblijfselen van straten en fundamenten van gebouwen, het gevolg van een aardbeving die de stad ooit had opengescheurd.

Hij hing bewegingsloos in de donkere lucht. Olivier probeerde zich om te draaien, te bewegen, wakker te worden, maar hij zat gevangen in zijn droom. Alles wat hij kon doen, was toekijken.

Hij zag hoe een vleermuis met flapperende vleugels tussen de ruïnes heen en weer vloog. Het bloeddorstige diertje was op jacht naar motten en andersoortige insecten.

Plotseling barstte er een waaier van licht uit de gebroken grond. De vleermuis begon angstig te piepen en dook onder een stenen trap. Net zo snel als het licht verscheen, verdween het ook weer.

Olivier zag hoe de vleermuis zijn vleugels om zich

heen trok en een paar keer met zijn zwarte ogen knipperde. Het diertje begreep instinctief dat er gevaar dreigde maar het wist niet precies hoe het erop moest reageren.

Weer spoot er een lichtwaaier uit de grond, feller dit keer. Maar ook nu verdween het al na een paar tellen.

Zenuwachtig schuifelde de vleermuis over de stenen, luide kreten slakend om duidelijk te maken dat hij hier de baas was.

Toen gebeurde het voor de derde keer. Stralen van licht, zo intens dat de vleermuis zijn ogen dichtkneep. De grond rommelde en midden in de stad spleet de bodem open. Het licht werd vaalgroen van kleur.

Het was te veel voor de vleermuis. Hier kon hij niet tegenop. Hij vouwde zijn vleugels open en ging er krijsend en piepend vandoor.

Het licht verdween en de aarde kwam tot rust. In de grond was een smalle opening ontstaan, donker en bijna onzichtbaar. Een opening die toegang gaf tot de spelonken diep onder de stad. Een opening waarvan Olivier wist dat die beter gesloten had kunnen blijven.

Tergend langzaam verscheen een bleke hand uit de diepte. De knokige vingers zochten moeizaam om zich heen en grepen toen de rand van de opening vast.

Met een schok schoot Olivier rechtop in bed, in één keer klaarwakker. Zijn hart klopte als een bezetene. Hij haalde een paar keer diep adem en wachtte tot hij weer wat rustiger werd. Niks aan de hand, zei hij tegen zichzelf. Kalm aan. Het was gewoon weer de zoveelste nachtmerrie. Hij was thuis, in zijn eigen kamer, en daar lag Bart, in het logeerbed. Zijn vriend snurkte zachtjes.

Niks aan de hand, verzekerde Olivier zichzelf nog een keer. Toen hoorde hij een geluid. Beneden. Gebons. Het klonk dringend. Iemand sloeg met zijn vuisten op de voordeur.

'Bart,' siste Olivier. 'Hé, Bart!'

'Laat me met rust,' klonk het slaperig.

'We hebben bezoek.' Olivier trok een trui over zijn hoofd.

'Hé? Wat?' Hoe laat is het dan?' Bart kwam overeind. 'Het is nog donker.'

'Laat. Of vroeg, eigenlijk. Een uur of vier, volgens mij. Zo voelt het tenminste.'

Er klonk weer gebons, harder nu. 'Vier uur?' gaapte Bart. 'Wie is er zo gek? Het zal die uurwerkmaker toch niet zijn?'

'Daar dacht ik ook net aan,' zei Olivier. Hij gooide Bart zijn trui toe. 'Kom op.'

Ze kwamen net op tijd beneden om te zien hoe een geërgerde baron met fladderende pyjama op de voordeur af liep, zijn brilletje scheef op het puntje van zijn neus. 'Wat is dit voor idioterie?!' bulderde hij. 'Waar is mijn butler?!'

Er werd weer gebonkt, zo hard dat de deur trilde. 'Komt er nog wat van, daarbinnen?! Ik ben het!'

Olivier en Bart keken elkaar aan. Quovadis?

De baron deed de deur van het slot en trok hem open.

Quovadis kwam handenwrijvend binnen. Hij zat onder de sneeuw en zijn lange grijze baard zat vol ijs. 'Eindelijk. Donder en bliksem, wat heb ik het koud.'

'Goedemorgen, Quovadis,' grinnikte Olivier.

'Ha, Quovadis,' lachte Bart.

'Gegroet, jonge vrienden,' zei de tovenaar en raadsheer van de koning. 'Baron, het is altijd weer een plezier u te zien, ook al is het dan in pyjama.'

'Ja, ja,' mopperde de baron. 'U hebt werkelijk een ongelooflijk talent om op de meest ongelegen tijd- stippen binnen te vallen, raadsheer. Wist u dat?'

Quovadis maakte een diepe buiging. 'Het is een gave om ongelegen te komen, mijn beste, een ware kunst. Het heeft me jaren gekost om daar zo goed in te worden.' De roemruchte tovenaar trok zijn win- termantel uit en schudde een regen van ijs en sneeuw op de grond. 'Het spreekwoord zegt het al. Ongenode gasten geven kleur aan het leven.'

Olivier schoot in de lach. Hij had nog nooit van zo'n spreekwoord gehoord maar in het geval van

Quovadis klopte het als een bus.

'Weet u wel hoe laat het is, raadsheer?' gromde de baron. 'Ik hoop dat u hier een verklaring voor hebt.'

'Het slechte weer, baron. Ik had hier gisteravond al willen zijn, ware het niet dat ik in de meest verschrikkelijke sneeuwstorm belandde. Ik heb urenlang vastgezeten.'

'Juist,' bromde de baron, alsof hij er niks van geloofde.

De tovenaar maakte een wijds armgebaar. 'Maar niet getreurd, lieve vrienden. Ik ben er nu. De festiviteiten mogen losbarsten.'

'Ja hoor,' gaapte Bart, 'laten we lekker gaan feesten. Mogen we misschien eerst nog even een paar uur slapen?'

'Ik ben klaarwakker,' grinnikte Quovadis.

'Ontbijten dan,' zei Olivier.

'Uitstekend idee, Olivier. Naar de keuken, stel ik voor, mijn beste baron. Een beker warme thee gaat er wel in, en wat te eten ook. Ik rammel werkelijk van de honger.'

De butler verscheen met een slaperig gezicht in de hal. 'Heer baron?'

'Aha, daar ben je eindelijk. Laat iemand voor het paard van raadsheer Quovadis zorgen,' beval de baron, 'en breng zijn zadeltassen naar het gastenverblijf.'

'Wat is er aan de hand?' klonk het boven aan de

trap. Aurora keek met een bleek gezicht naar beneden. 'Quovadis, wat doet u hier?'

'Aurora, mijn kindje! Zo goed je weer te zien. Je bent keurig op tijd, we gingen net een hapje eten.' De tovenaar legde zijn arm om de schouder van de baron en liep al pratend richting de keuken.

Olivier en Bart keken elkaar aan en schoten in de lach. Ze konden nu toch niet meer slapen. Ze wachten even tot Aurora beneden was en volgden Quovadis en de baron naar de keuken.

'Bart en ik dachten dat er iemand anders aan de deur stond,' zei Olivier even later.

Quovadis en Aurora zaten aan de keukentafel en terwijl Olivier theewater opzette en Bart bekers uit de kast pakte, haalde de baron hoogstpersoonlijk een verse pastei uit de proviandkamer en sneed er vijf grote stukken af.

'Dat dacht ik ook,' knikte de baron.

'Wie dan?' vroeg Quovadis.

'Iemand met wie ik nog een appeltje te schillen heb,' gromde de baron. Hij gaf iedereen een bord.

'Het stormde, vader.'

'Zo ver is het anders niet van Ommuur-Stad naar Slot Ergens.'

Quovadis nam een grote hap en knikte tevreden. 'Neem maar van mij aan dat het stormde, baron,' zei hij met volle mond.

'Hij zou mijn horloge hier gisteravond af komen geven,' zei de baron, 'gerepareerd en wel. Om acht uur, dat had hij beloofd. Maar hij is nooit op komen dagen. Alleen maar vanwege dat beetje sneeuw.'

Quovadis wilde net een tweede hap nemen, maar zijn vork bleef halverwege in de lucht zweven. 'Jullie hebben het toch niet toevallig over Julius, hè? Julius Meridiaan?'

'Kent u die dan?' vroeg Olivier.

Quovadis knikte. 'Heel goed zelfs. Julius is een vriend van me, al tientallen jaren. Hij is excentriek, verzot op zijn werk, en *altijd* op tijd. Had hij gezegd dat hij hier zou zijn?'

'Om acht uur,' knikte Olivier.

'Hoe slecht was het weer hier rond die tijd?' vroeg Quovadis. Hij klonk bezorgd. 'Onmogelijk slecht? Zo slecht dat er helemaal niemand door kon komen?'

'Nee,' zei de baron, 'zo erg was het nou ook weer niet. Daarom vind ik ook dat hij er gewoon had moeten zijn. Afspraak is afspraak.'

Quovadis legde zijn vork neer. 'Dan is er iets gebeurd,' zei hij.

'Overdrijft u nu niet een beetje, raadsheer?' vroeg de baron. 'Ik durf te wedden dat meneer Meridiaan, in tegenstelling tot wij vijven, gewoon lekker in zijn bed ligt.'

Quovadis schudde zijn hoofd. 'U begrijpt het niet.

Mijn goede vriend Julius heeft een tic als het gaat over op tijd komen. Hij is erdoor geobsedeerd. Zolang ik hem ken, is hij nog nooit ergens te laat verschenen. Nog nooit. Als hij acht uur met je afspreekt, dan is hij er ook om acht uur, en geen minuut later. En als hij dan helemaal niet op komt dagen… De Julius Meridiaan die ik ken zou zich door een beetje sneeuw nooit laten tegenhouden.'

'Tsja, dat wist ik natuurlijk ook niet,' zei de baron.

'Misschien maak ik me ten onrechte zorgen, baron, maar misschien ook niet. Hij is al wat ouder. Misschien is hij ziek geworden.' Quovadis stond op. 'Ik wil voor de zekerheid toch maar even gaan kijken.'

'Hebt u hulp nodig?' vroeg de baron.

Quovadis schudde zijn hoofd. 'Niet nodig, mijn beste.'

'En als hij nou niet ziek is maar op weg hier naartoe een ongeluk heeft gehad?' vroeg Bart. 'Hebt u dan ook geen hulp nodig?'

'Neem de jongens maar mee,' knikte de baron.

'En ik dan?' vroeg Aurora. Ze had nog niet veel gezegd en zag nog steeds een beetje pips.

'Denk je nou werkelijk dat ik je na dat voorval van gisteren de kou in laat gaan?' vroeg de baron. Hij schudde zijn hoofd. 'Niks ervan. Dadelijk krijg je nog een longontsteking. Jij blijft mooi hier, jongedame.'

'Voorval?' vroeg Quovadis.

'Lang verhaal,' zei de baron. 'Dat moeten de jongens onderweg maar vertellen.'

- 5 -

Tempus Prior Tempore!

Nog geen halfuur later stonden Quovadis, Olivier en Bart dik aangekleed voor de winkel van Julius Meridiaan. Onderweg hadden ze geen spoor van de uurwerkmaker gevonden. Olivier had Quovadis het verhaal van de schaatswedstrijd verteld, maar de bezorgde tovenaar had maar half geluisterd.

In Ommuur-Stad was het doodstil. Iedereen sliep nog. Alleen in de bakkerij om de hoek waren ze zoals elke ochtend al vroeg op om het verse brood op tijd in de schappen te krijgen.

Bart wreef een stukje van de etalageruit schoon en tuurde naar binnen. 'Ik zie niemand,' fluisterde hij. Zijn adem kwam in wolkjes uit zijn mond.

Quovadis probeerde de deur.

'Open,' zei hij zachtjes. 'Kom.'

Binnen was het warmer dan buiten, maar niet veel. Het vuur in het potkacheltje was bijna uit. Het zachte getik van de vele klokken klonk als een soort ruis.

Het was erg donker in de winkel. Olivier hield zijn olielamp omhoog en keek om zich heen.

'Julius!' riep Quovadis.

Er kwam geen antwoord.

'Julius!' riep hij nog een keer.

'Meridiaan!' klonk het van boven.

'Dat is Melchior,' zei Olivier meteen.

Quovadis knikte. 'Daar. De trap op.'

Meneer Meridiaan lag midden in zijn huiskamer op de grond. Melchior schuifelde opgewonden op een stoelleuning heen en weer. 'Wakker worden!' kraste hij.

In de kamer brandden een paar olielampen, maar het vuur in de open haard was uit. Overal stonden en hingen klokken.

Quovadis knielde bij de uurwerkmaker neer en voelde diens pols.

'Hij leeft nog,' zei hij, 'maar hij voelt erg koud. Olivier, jij zorgt voor vuur. Gebruik je krachten maar, dat werkt sneller. Bart, help me eens even met tillen.'

Olivier stapelde hout in de haard en concentreerde zich op de Derde Vaardigheid. Binnen een paar tellen loeide er een enorm vuur.

Meneer Meridiaan lag onder een deken op de bank. Langzaam maar zeker kwam er weer een blos op zijn wangen.

Olivier en Bart hadden hun jassen, dassen, mutsen en handschoenen op een stoel gelegd, en Quovadis deed zijn wintermantel uit.

'Julius!' riep Quovadis. 'Word eens wakker!'

'Hij komt alweer bij,' zei Bart, 'kijk maar.'

Olivier zag dat meneer Meridiaan met zijn ogen begon te knipperen.

'Hoe laat is het?' was het eerste wat hij vroeg.

'Veertien minuten over vijf, mijn beste,' antwoordde Quovadis na een blik op een van de klokken. 'In de ochtend.'

'Quovadis? Wat doe jij hier? En wie is dit?'

'Bart Bariton,' zei Bart.

'En jonkheer Olivier,' knikte de uurwerkmaker. Ineens schoot hij overeind. 'Hemel, mijn afspraak met de baron. Veertien over vijf, zei je? Maar dan ben ik te laat, veel te laat!'

'Te laat!' kraste Melchior.

'Kalm aan, Julius,' zei Quovadis. 'De baron weet wat voor weer het gisterenavond was. Hij heeft er alle begrip voor dat je niet kon komen.' De tovenaar gaf Olivier een snelle knipoog.

'Alle begrip,' knikte Olivier.

Meneer Meridiaan schudde langzaam zijn hoofd. 'Jullie vergissen je, het slechte weer heeft er niets mee te maken.' Hij stak zijn hand uit en Melchior fladderde naar zijn baasje. Meneer Meridiaan aaide afwezig over de veren van de vogel. 'En ik denk niet dat de baron nog veel begrip zal hebben als hij hoort wat er gebeurd is.'

'Wat is er dan gebeurd?' vroeg Quovadis.

'Ik ben beroofd.'

'Dus jij denkt dat je door hem bent beroofd?' vroeg Quovadis.

Meneer Meridiaan zat nog steeds op de bank. Hij had net verteld over de vreemde vreemdeling die zo veel interesse in het uurwerk van de baron had getoond.

'Dat denk ik niet alleen, dat weet ik wel zeker. Ik zal je het hele verhaal vertellen. Nadat hij weg was heb ik de rest van de dag aan dat wonderbaarlijke horloge gewerkt. Oh, je had het moeten zien, Quovadis, het was prachtig! Uniek! En weet je wie het gemaakt heeft? Dat raad je nooit.'

Quovadis schudde zijn hoofd.

'Marius Meridiaan, mijn illustere voorvader uit het Dertiende Koninkrijk. Daar weet jij toch zo veel van, van het Dertiende Koninkrijk? Dan moet je ook wel eens van hem gehoord hebben.'

'Nou en of,' zei Quovadis. 'Marius Meridiaan, ook wel bekend als Marius de Grote. Een mysterieuze figuur.'

'Mysterieus?' vroeg Bart.

Quovadis knikte. 'Geniaal uurwerkmaker, kunstenaar, uitvinder, wetenschapper, kluizenaar. Een excentriekeling, bevriend met vorstenhuizen en tovenaars in heel de Ontdekte Wereld. Er wordt gefluisterd dat hij kon vliegen. Hij...'

'Vliegen? Belachelijk,' zei Bart.

'Misschien,' zei Quovadis.

'Ik heb nooit geweten dat vaders klokje zo bijzonder was,' zei Olivier.

'Uiterst bijzonder,' zei meneer Meridiaan. 'Ik heb meer van dat ene mechaniek geleerd dan van alles wat ik de afgelopen tien jaar onder handen heb gehad. En nog begrijp ik er maar de helft van.'

'Hoe bedoel je, de helft?' vroeg Quovadis.

'Er zitten onderdelen in waarvan ik geen idee heb waarvoor ze dienen. Ik kan het nog het beste omschrijven als een klok in een klok, als je begrijpt wat ik bedoel.'

Quovadis schudde zijn hoofd. 'Niet echt, nee.'

'Als de baron het goed had gevonden, had ik zijn uurwerk graag nog een paar dagen willen houden om het verder te kunnen bestuderen. Maar helaas, dat is nu te laat.'

'Een uurwerk van Marius de Grote,' zei Quovadis. 'Onbetaalbaar.'

'Onvervangbaar.'

'Temp!' kraste Melchior.

Quovadis keek op. 'Wat zei hij?'

Meneer Meridiaan haalde zijn schouders op. 'Hij roept wel vaker zomaar wat.'

'Hebt u het horloge nog wel kunnen repareren?' vroeg Olivier.

De uurwerkmaker schudde zijn hoofd. 'Voor zover ik heb kunnen nagaan was het helemaal niet stuk.'

'Maar het liep achteruit, dat hebt u zelf gezien.'

Meneer Meridiaan knikte. 'En het is uit zichzelf weer normaal gaan lopen. Wat ik aan onderdelen herkende heb voor de zekerheid maar schoongemaakt en geolied, maar volgens mij was dat niet eens nodig. Het uurwerk was in opmerkelijk goede conditie.'

'Kunnen we nog even terug naar die vreemdeling?' bromde Quovadis. 'Hoe weet je eigenlijk zo zeker dat hij je bestolen heeft, en niet iemand anders?'

'Ik ben 's avonds een hapje gaan eten in herberg Hemel en Aarde. Na zo'n dag hard werken had ik geen zin om te koken.'

Quovadis knikte. 'En?'

'En de waard vertelde me dat er die ochtend iemand was geweest die vragen had gesteld.'

'Die vreemdeling,' zei Bart.

'Precies. Hij wilde van alles weten. Over Ommuur-Stad, over de koninkrijken, de geschiedenis. Hij was vooral in het Dertiende Koninkrijk geïnteresseerd.'

'Het Dertiende Koninkrijk?'

'Ja, vreemd, nietwaar? Niet bepaald een onderwerp waar mensen graag over praten.'

Olivier wist wat meneer Meridiaan bedoelde. Over het Dertiende Koninkrijk deden de meest vreselijke verhalen de ronde. Dat het een verwoest en verlaten land was, waar gruwelijke monsters zouden leven. Monsters die af en toe de Koudste Bergen overstaken, op zoek naar prooi. Iedereen kende de gefluisterde verhalen. En iedereen wist dat het waarschijnlijk maar spookverhalen waren. Maar toch. Over het Dertiende Koninkrijk stelde je geen vragen, en al helemaal niet hardop.

'Hij had ook naar mij geïnformeerd,' ging meneer Meridiaan verder. 'Hij heeft zelfs vragen gesteld over de baron.'

'Wat voor vragen?' vroeg Olivier bezorgd.

'Allerlei vragen. Waar Slot Ergens lag, of de baron hier al lang woonde, dat soort dingen.'

'En wat heeft de waard hem verteld?' vroeg Quovadis.

'Heel weinig,' zei meneer Meridiaan. 'Het was een beetje een akelige figuur, en de waard vertrouwde het niet zo. Dus heeft hij hem gevraagd te vertrekken.'

'De waard is een verstandig man,' zei Quovadis.

'De waard dacht dat hij hem wel eens eerder had gezien, maar hij wist niet meer wanneer of met wie.'

'Jammer.'

'Hij moet hier de hele dag in de buurt hebben rondgehangen,' zei meneer Meridiaan, 'dus ik weet niet wie hij nog meer heeft gesproken, of wat hij allemaal te weten is gekomen.'

'Weinig, vermoed ik,' bromde Quovadis. 'Op straat kun je dat soort vragen al helemaal niet stellen.'

'O ja, voor ik het vergeet: een van de stamgasten heeft hem blijkbaar wel iets verteld van de verhalen die de laatste tijd over u de ronde doen, jonkheer. U weet wel, die malle geruchten dat u over magische krachten zou beschikken. Dat heeft de waard niet kunnen voorkomen, ben ik bang.'

Olivier wist niet of hij iets moest zeggen en blikte naar Quovadis.

Quovadis haalde zijn schouders op. 'Zoals je al zegt, Julius, malle geruchten. Wat heb je vervolgens gedaan?'

'Ik begon me nogal ongerust te maken,' antwoordde meneer Meridiaan. 'Ik had het horloge weliswaar veilig opgeborgen, maar je weet natuurlijk nooit. Enfin, om een lang verhaal kort te maken, ik ben meteen naar huis gesneld en heb hem betrapt. Hij stond bij de kluis.' Hij wees naar de hoek van de kamer waar een kleine kluis in de muur was ingebouwd. Het deurtje stond open. 'Daar, met het horloge van de baron in zijn hand. Ik weet zeker dat hij het was, ik heb hem herkend.' Hij beschreef hoe de vreemdeling eruit had gezien.

'En heeft hij u toen neergeslagen?' vroeg Olivier.

'Nee,' zei meneer Meridiaan, 'dat is het merkwaardige. Ik kan me niet herinneren dat we hebben gevochten. Ik zag hem en hij zag mij en het volgende moment sloeg ik met mijn hoofd op de grond.'

Melchior fladderde met zijn vleugels. 'Boem!' krijste hij.

'Rustig maar,' zei meneer Meridiaan.

Bart stond op en liep naar de kluis.

'Bent u misschien gestruikeld?' vroeg Olivier.

'Waarschijnlijk.' De uurwerkmaker zuchtte. 'Ik ben nog nooit bestolen. Eerst maar naar de adjudant van politie, denk je ook niet, Quovadis? En dan naar de baron, om mijn excuses aan te bieden.'

'Dat is niet nodig,' zei Bart.

Iedereen draaide zich om. Bart hield met een brede grijns een gouden horloge omhoog. 'Dit is het toch? Of niet soms?'

'Hij heeft het laten liggen.' Meneer Meridiaan klonk stomverbaasd en opgelucht tegelijk. 'Die vreemdeling heeft het horloge laten liggen!' Hij nam het uurwerk van Bart aan en bestudeerde het van alle kanten. 'Niet beschadigd,' mompelde hij.

'Is dat echt het klokje van de baron?' vroeg Quovadis.

'Zonder enige twijfel.'

'Nou breekt mijn klomp,' zei Quovadis.

'Mag ik het nog eens zien?' vroeg Bart.

Olivier stond op. 'Waarom zou hij zoiets kostbaars niet hebben meegenomen?'

'Omdat ik hem betrapt heb, denk ik,' zei meneer Meridiaan.

Olivier schudde zijn hoofd. 'U was bewusteloos.' Hij liep naar Bart die het horloge in het licht van een olielamp bestudeerde. 'Hij had er zo mee aan de haal kunnen gaan.'

'Bijzonder eigenaardig,' bromde Quovadis.

'Onbegrijpelijk,' zei meneer Meridiaan.

'Laat eens kijken,' zei Olivier.

'Hier.' Bart gaf Olivier het horloge. 'Volgens mij is er niets mee aan de hand.'

Olivier knipte het deksel open. De secondewijzer draaide gewoon vooruit, zoals het hoorde.

Melchior fladderde op, ging op de rand van de kluisdeur zitten en staarde naar het glimmende kleinood.

'Hier begrijp ik werkelijk geen snars van,' zei Quovadis. 'Is er misschien iets anders gestolen, Julius?'

De uurwerkmaker keek om zich heen en schudde zijn hoofd. 'Niet dat ik zo snel kan zien.'

'Beneden, uit je winkel?'

'Laten we maar even gaan kijken.'

Terwijl de tovenaar en meneer Meridiaan de trap afliepen, wipte Melchior op Oliviers schouder. 'Temp,' kraste hij. 'Tempus.'

'Waar heeft dat beest het toch over?' vroeg Bart.

'Geen idee,' zei Olivier. 'Wat is tempus, Melchior?'

De beo hield zijn kop scheef, alsof hij nadacht.

'Hij is wel grappig,' lachte Bart.

'Tempus,' kraste de vogel weer. 'Tempus prior tempore!'

Bart trok zijn wenkbrauwen op. 'Wablief?'

'Dat klonk bijna als een toverspreuk,' zei Olivier.

'Een toverspreuk?'

Olivier knikte. Hij had de laatste maanden veel geoefend op Stem, de Zesde Vaardigheid. De machtigste van de Zeven Magische Vaardigheden was tegelijkertijd de moeilijkste, maar Olivier begon haar langzaam maar zeker onder de knie te krijgen.

'Probeer dan eens,' zei Bart.

'Tempus prior tempore,' grinnikte Olivier. Meteen fladderde Melchior op en ging weer op de kluisdeur zitten. Met zijn kraaloogjes staarde hij Olivier argwanend aan.

'Ja, hallo, zo kan ik het ook,' zei Bart. 'Met Stem, bedoel ik, probeer het eens met Stem.'

Maar Olivier wees naar Melchior. 'Zag je dat, Bart? Melchior schrok. Hij schrok van die woorden.'

'Welnee,' zei Bart.

'Zeg jij ze dan eens.'

'Tempus prior tempore.'

Melchior krijste en fladderde naar een stoelleuning een paar meter verderop. Hij hield de twee vrienden zenuwachtig in de gaten.

'Zie je wel?'

'Bang,' knikte Bart. 'Denk je echt dat het een toverspreuk is, Olivier, of is het misschien een naam?'

'Het klinkt niet als een naam,' zei Olivier. 'Het klinkt als een van mijn oefenspreuken. Volgens mij is dat het, een toverspreuk voor beginners.'

'Van wie moet Melchior nou een toverspreuk hebben gehoord?' vroeg Bart. 'Van die vreemdeling?'

Olivier schudde zijn hoofd. 'Dat lijkt me onmogelijk. Dat zou betekenen dat die vreemdeling een lid van de Cirkel van Twaalf is.' Er waren twaalf koninkrijken in de Ontdekte Wereld, en elk had een raadsheer-tovenaar. Samen vormden zij de Cirkel van Twaalf, wist Olivier. De enige tovenaars in de Ontdekte Wereld. Olivier zelf niet meegerekend natuurlijk.

'Je hebt gelijk,' zei Bart. 'Een lid van de Cirkel zou nooit zomaar ergens inbreken. Maar waar heeft Melchior het dan gehoord?'

'Geen idee. Misschien is het toch een naam,' peinsde Olivier.

'Waarom probeer je het niet gewoon?' vroeg Bart. 'Met Stem. Als het een naam is, gebeurt er niks.'

'En als het toch een spreuk is?'

Bart haalde zijn schouders op. 'Een oefenspreuk. Wat kan er nou gebeuren?' Hij grinnikte. 'Misschien wordt Melchior wel groen. Met paarse stippen.'

De vogel schudde zenuwachtig met zijn kop, alsof hij Bart had verstaan.

'Weet je het zeker?' grijnsde Olivier. 'Misschien word je zelf wel groen met paarse stippen.'

'Ja hoor,' smaalde Bart, 'vast wel. Probeer het nou maar.'

'Dadelijk hoort meneer Meridiaan het nog,' zei Olivier. 'Krijgen we nog meer geruchten.'

'Dan zeg je het zachtjes,' grinnikte Bart. 'Kom op, we moeten toch uit zien te vissen wat er gebeurd is, of niet soms? En dit is een aanwijzing. Of durf je soms niet?'

Olivier keek naar de trap. Quovadis en meneer Meridiaan waren nog steeds beneden.

'Groen,' zei hij tegen Bart, 'met paarse stippen.' Toen concentreerde hij zich op Stem. 'Tempus Prior Tempore!' Dit keer rolden de woorden heel helder over Oliviers lippen, zo helder dat je ze bijna kon voelen. Hij zei het zachtjes, maar de klanken leken tegen de muren te weerkaatsen en zichzelf te versterken.

Oei, dacht Olivier, dat moeten ze beneden gehoord hebben. Hij zag Melchior opvliegen en in paniek naar de trap fladderen. Tot zijn verbazing leek de vogel, naarmate hij verder weg vloog, zich steeds langzamer te bewegen. Hij wilde net aan Bart vragen of die dat ook zag toen hij van beneden Quovadis hoorde bulderen: 'Olivier!!!' Het geluid klonk alsof het uit een diepe put kwam.

Bart wees met grote ogen naar de klokken aan de

muur. De wijzers leken te versnellen.

Olivier keek naar het horloge van zijn vader dat hij nog steeds in zijn hand hield. Daar gebeurde het omgekeerde: de secondewijzer draaide steeds langzamer, stopte, aarzelde even en begon achteruit te draaien.

'Olivier!!!' Weer dat holle, trage geluid. Het klonk als een echo. Quovadis kwam met treden tegelijk de trap op gerend, maar het was alsof de tovenaar heel traag voortbewoog. Zijn mantel golfde om hem heen. Melchior dreef met een lange vleugelslag over zijn hoofd en verdween uit het zicht.

De muren van de huiskamer bogen naar binnen. Bart greep Olivier bij de arm.

Quovadis was boven aanbeland en stormde met grote stappen op hen af. Hij keek geschrokken, angstig zelfs, zag Olivier. De tovenaar leek iets te schreeuwen maar er kwam geen geluid uit zijn mond. Met elke stap die hij dichterbij kwam, ging hij sneller. Hij zwaaide met zijn armen.

De wijzers van het horloge draaiden als een razende achteruit, zo snel dat je de cijfers op de wijzerplaat niet meer goed kon zien. Olivier voelde dat hij zijn benen niet meer kon bewegen.

Quovadis zette af en dook met een enorme sprong naar voren. Net als de wijzerplaat leek ook de tovenaar te vervagen, alsof er een soort mist om hem heen hing. De muren van de huiskamer bewogen in golven.

De mist kolkte rond Olivier en Bart. Kleine licht-flitsen schoten door de lucht.

Quovadis strekte zijn rechterarm uit.

Olivier deed hetzelfde.

De toppen van hun vingers raakten elkaar.

En de wereld verging.

- 6 -

Ruimte en tijd

Olivier tuimelde door de lucht, in de stromende regen, het gedonder van onweer en paardenhoeven in zijn oren. Een bliksemschicht zigzagde door de hemel. In een flits zag Olivier een zwart paard met vurige ogen en het silhouet van een ruiter, vlakbij, in volle galop. De wereld tolde. Ik val, dacht Olivier en op het zelfde moment smakte hij in de modder.

'Oef,' hoorde hij naast zich.

'Bart!'

'Olivier! Waar zijn we? Wat is er gebeurd?' Bart ging moeizaam rechtop zitten en wiste de modder uit zijn gezicht. 'En waar is Quovadis?'

Hij was nog niet uitgesproken of de tovenaar kwam uit de lucht vallen en belandde met een harde klap in een regenplas. Water en modder spatten alle kanten op. Quovadis bleef stil liggen.

Olivier krabbelde overeind. 'Quovadis, is alles goed? Kunt u me horen? Quovadis!'

De tovenaar was lijkbleek. Olivier pakte Quovadis bij de schouder en probeerde hem wakker te schudden.

Quovadis deed langzaam één oog open maar leek niks te zien.

'Quovadis,' riep Bart, 'wat is er gebeurd, waar zijn we?'

'Wanneer,' hoorde Olivier hem prevelen. Quovadis' oog zakte weer dicht.

'Wat?' vroeg Bart. 'Wat zei hij?' ..

'Volgens mij zei hij "wanneer",' zei Olivier, maar hij had geen idee wat de tovenaar daarmee bedoelde.

Ze bevonden zich op een hellend zandpad dat vanwege de stromende regen meer weg had van een bergbeek. Er heerste een soort schemerduister. Enorme zwarte onweerswolken hingen rond de toppen van de omringende heuvels. Ze kolkten en leken wel te leven, dreigende monsters die het land in hun greep hadden. Heel in de verte zag Olivier een streepje zonlicht maar boven hun hoofden leek het wel oorlog.

Met een krakend geluid sloeg de bliksem in. Olivier en Bart doken in elkaar. De donderslag die volgde rolde over de hellingen en deed de bomen schudden. De regen veranderde in ijs en hagelstenen ranselden de grond.

Bart probeerde met zijn arm zijn hoofd te beschermen. 'We moeten een schuilplaats vinden!' riep hij.

Met samengeknepen ogen speurde Olivier de omgeving af.

'Daar!' riep Bart.

'Waar?' vroeg Olivier. 'Ik zie niks.' Een bliksemflits zette de hemel in brand en verlichtte de onweerswolken van binnenuit. Ineens zag Olivier wat Bart bedoelde: een eindje verderop rees een toren boven de bomen uit, vierkant, donker en onneembaar. De kantelen schraapten tegen het wolkendek.

Bart knikte. 'Kom op!'

Terwijl de donder in hun oren klonk, pakten ze Quovadis onder de armen en sleepten de bewusteloze tovenaar mee omhoog, het glibberige pad op. Olivier was doorweekt en koud en Quovadis leek wel een ton te wegen. Met iedere stap die ze dichter bij de toren kwamen, werd de tovenaar zwaarder en onweerde het harder. Toen ze na wat een eeuwigheid leek eindelijk voor de poort stonden, was Olivier de uitputting nabij.

'Olivier! Moet je zien!' Bart schreeuwde om boven de wind uit te komen die om de toren huilde.

Olivier keek omhoog. Uit de muren staken grijnzende duivelskoppen en draken en andere monsters. In het licht van de bliksem leken ze tot leven te komen.

'Weet je zeker dat je hier naar binnen wilt?'

'Wat moeten we dan? Buiten blijven? In dit weer?' Olivier greep de ijzeren klopper en sloeg ermee op de poort. Boem, boem, boem! De knallen klonken boven het gehuil van de wind uit.

Er vloog een klein luikje open. 'Scheer je weg!' riep een woedende stem, 'je bent niet langer welkom! Ik wil niks meer met je te maken hebben!' En met een klap sloeg het luikje weer dicht.

'Wat krijgen we nou?' riep Bart.

Olivier sloeg nog een keer. Boem, boem, boem!

Het luikje vloog weer open. 'Ben je helemaal gek geworden?!' donderde dezelfde stem. 'Denk je soms dat ik bang voor je ben? Ophoepelen, zei ik!'

'Help!' schreeuwden Olivier en Bart zo hard mogelijk. 'We hebben hulp nodig!'

Even bleef het stil, toen verscheen er een oog dat hen argwanend bekeek. Het luikje ging weer dicht en een paar tellen later werd de poort op een kier geopend. Olivier wees naar de bewegingloze vorm van Quovadis.

Na een korte aarzeling ging de poort verder open.

Olivier en Bart grepen Quovadis weer onder de armen en sleepten hem het laatste stukje naar binnen. De poort viel met een zware dreun in het slot en daarmee waren regen, kou, wind en onweer ineens verdreven. Ze stonden in een stenen hal zonder enige opsmuk.

'Wie zijn jullie? Waar komen jullie vandaan? En wat is er met hem gebeurd?'

De bewoner van de toren bleek een klein oud mannetje, niet veel groter dan Olivier en Bart zelf. Hij zag er vreemd uit, met gekrulde punten aan zijn schoenen, een fluwelen broek en een soort lange overjas met wijd uitlopende mouwen. Het weinige haar dat hij nog had was spierwit en stak in toefjes boven zijn oren de lucht in. Zijn gezicht was bezaaid met rimpels en zijn ogen waren lichtblauw. Iets in die ogen kwam Olivier bekend voor, maar hij wist toch heel zeker dat hij het mannetje nooit eerder had gezien.

Die zette zijn handen in zijn zij. 'Nou? Krijg ik nog antwoord? Of willen jullie liever weer naar buiten?'

'Zijn naam is Quovadis, meneer,' zei Olivier beleefd terwijl hij naar de tovenaar wees. 'Hij is gevallen. En dat is Bart Bariton.'

'We zijn verdwaald,' zei Bart. 'We willen hier graag schuilen, tot de storm over is.'

'Ja, ja, dat begrijp ik. En jij?' vroeg het mannetje. 'Hoe heet jij?'

'Olivier, meneer. Olivier van Daar tot Hier.'

Het mannetje trok zijn wenkbrauwen op. 'Van Daar tot Hier, zeg je? Zo, zo. Weet je dat wel zeker?'

'Heel zeker,' zei Olivier. 'En wat is uw naam, als ik zo vrij mag zijn?'

'Als jij écht een Van Daar tot Hier was, zou je wel weten hoe ik heet,' zei het mannetje met enige stemverheffing. 'Ik ben goed bevriend met de familie en heb nog nooit van een Olivier gehoord. Volgens mij sta je te liegen.'

'Ik heet echt zo, meneer,' zei Olivier die een beetje boos begon te worden. Hij wist vrijwel zeker dat dit humeurige mannetje geen 'vriend van de familie' kon zijn. 'Ik heb geen idee wie u bent. Voor zover ik me kan herinneren bent u nog nooit bij ons te gast geweest.'

'O, nee?' begon het mannetje. 'Nou moet jij eens goed luisteren...'

Een schorre stem onderbrak hem. 'Jullie hebben allebei gelijk.' Quovadis knipperde een paar keer met zijn ogen en deed ze toen wijd open. 'En als jullie klaar zijn met bakkeleien, zal ik het uitleggen.'

De tovenaar kwam moeizaam overeind en voelde aan zijn hoofd. 'Oef, dat was nog eens een klap, zeg.' Hij wankelde en moest zich aan de muur vasthouden om niet te vallen. Met een duizelige blik keek hij het mannetje aan. 'Wij zijn reizigers in nood, geachte heer, en doen een beroep op uw gastvrijheid. Als u ons aan droge kleding en een haardvuur kunt helpen, zijn wij u eeuwig dankbaar. Wat warms te eten zou natuurlijk ook welkom zijn.'

Het mannetje antwoordde niet meteen. Hij wierp Olivier een geërgerde blik toe. 'Reizigers die hulp nodig hebben mogen zich wel wat beleefder gedragen, zeker als ze nog niet helemaal droog achter de oren zijn,' morde hij.

'U hebt helemaal gelijk,' zei Quovadis, 'en het spijt hem verschrikkelijk.' Olivier moest op zijn tong bijten om niets te zeggen.

Met een van pijn vertrokken gezicht kwam de tovenaar overeind. Hij stak wat beverig zijn hand uit. 'De naam is Quovadis.'

Het mannetje schudde Quovadis de hand. 'Marius Meridiaan,' antwoordde hij.

Bart keek op. 'Wat?' riep hij verbaasd. 'Bent u Marius de Grote? De uurwerkmaker, de uitvinder?'

'Wat nou Marius de Grote? Is dat soms een grapje over mijn postuur?'

Oliviers mond zakte open. Marius de Grote. Maar dat betekende... Dat kon niet waar zijn! Dat bestond niet!

'Wacht eens even,' zei Bart. 'Zijn we dan... in het Dertiende Koninkrijk?'

'Natuurlijk,' klonk het ongeduldig. 'Waar anders?'

'Tempus prior tempore,' fluisterde Olivier. 'Niet zomaar een spreuk.'

'Dat kun je wel stellen,' zei Quovadis.

'Waar hebben jullie het over?' vroeg Marius de Grote.

'Is het echt waar?' vroeg Bart aan Quovadis.

'Echt waar, Bart,' knikte Quovadis.

'Ruimte en tijd,' fluisterde Bart.

'Hallo! Ben ik soms onzichtbaar? Ik vroeg waar jullie het over hebben.' Marius de Grote keek de drie vrienden ongeduldig aan.

'Mijn welgemeende excuses,' zei Quovadis, 'maar

de jongens zijn er zojuist achter gekomen wat er is gebeurd en waar ze zich bevinden.'

'En wanneer,' zei Bart. 'Wannééér ze zich bevinden.'

Marius de Grote keek Bart aan alsof die gek geworden was. 'Als jullie me nu niet heel snel vertellen waar dit over gaat, zet ik jullie buiten. Alledrie. Weer of geen weer.' Hij deed een stap naar de deur.

'Wij zijn reizigers, mijn beste Marius,' zei Quovadis. 'Reizigers uit de toekomst. Tijdreizigers.'

'Tijdreizigers? Wat een flauwe...' toen sperde hij zijn ogen wijd open. 'Tijdreizigers?'

Quovadis knikte en zijn gezicht stond ongewoon ernstig.

Marius de Grote krabde aan zijn voorhoofd, ineens onzeker. 'Maar dat... dat is ál te toevallig, zou hij dan... terwijl ik maar heel even... maar hoe... nultijd, natuurlijk, had ik maar nooit...' Ineens keek hij op. 'Wanneer zijn jullie, uh, hoe zeg je dat, gearriveerd?'

'Uit de lucht komen vallen, zult u bedoelen,' bromde Bart. 'Een halfuur geleden, schat ik. Toch, Olivier?'

Olivier knikte. 'Hooguit. Waarom vraagt u dat?'

Marius de Grote wierp een snelle blik op een klein zakhorloge voor hij antwoordde. 'Omdat jullie dan nog maar elfenhalfuur over hebben om terug te keren naar jullie eigen tijd.'

Olivier blikte naar Quovadis. De tovenaar zweeg. 'En als dat niet lukt?' vroeg Olivier aan Marius de Grote.

'Dan komen jullie nooit meer weg.'

De huiskamer van Marius de Grote besloeg bijna de hele eerste verdieping van de toren.

Maar eigenlijk kon je van een huiskamer niet spreken, dacht Olivier terwijl hij zijn blik vol verbazing door de volgepakte ruimte liet dwalen. Het was eerder een soort museum, een rariteitenkabinet. Hier woonde en werkte een kunstenaar, een wetenschapper, een onderzoeker, een uurwerkmaker, en nog veel meer.

Er hingen olieverfschilderijen met vreemde landschappen en onmogelijke wezens, ondertekend door M. Meridiaan. Aan een andere muur hingen technisch-uitziende tekeningen van bruggen en schepen en dingen vol tandwielen, mechanische dingen die Olivier niet herkende, allemaal voorzien van dezelfde handtekening. Veel van de ontwerpen waren daadwerkelijk gebouwd, in miniatuur, en stonden her en der in de kamer verspreid. Sommige van de mechanische dingen draaiden, tikten en sisten, ogenschijnlijk helemaal vanzelf.

Er stond een enorme kast vol glazen potten waarin dode diertjes dreven, salamanders en padden en slangen en insecten. Aan de plafondbalken hingen wijd uitgevouwen vleermuisvleugels. Geen echte, maar nagebouwde, van dunne latjes en touw en zeildoek. En in tegenstelling tot echte vleermuisvleugels waren deze wit.

Er waren lades met gereedschap, tafeltjes vol klokken, horloges en zonnewijzers, en kasten gevuld met oude boeken en rollen perkament. De hele ruimte was een soort schatkamer vol mysterieuze, eigenaardige en interessante dingen.

Was Marius de Grote nu gek of geniaal? Een beetje van beide, dacht Olivier zelf.

Quovadis liet zich ongevraagd in een grote gemakkelijke stoel bij het haardvuur zakken. Hij legde zijn hoofd tegen de rugleuning en sloot zijn ogen. Door de smalle ramen flitste het weerlicht.

Marius de Grote trok er een paar stoelen bij. 'Wat is er precies gebeurd? Ik moet weten wat er gebeurd is.' Hij klonk zenuwachtig, alsof het allemaal zijn schuld was.

Olivier ging zitten en stak zijn handen uit naar het warme vuur. Naast de open haard grijnsde een menselijk skelet hem toe en op de schoorsteenmantel stond een model van een zeilschip met drie masten.

'Een combinatie van drie factoren,' begon Quovadis. Hij deed zijn ogen open. Die stonden dof en aan zijn stem kon je horen dat hij pijn had. 'Voor zover ik kan nagaan, althans. Ik heb dit ook nog nooit meegemaakt. Eén, een prachtig gouden uurwerk, van uw hand, mijn beste. Als ik me niet heel sterk vergis, bevat het een mechaniek dat tijdreizen mogelijk maakt.'

Marius de Grote knikte somber. 'Had ik het maar nooit gebouwd. Veel te gevaarlijk.'

'Twee,' ging Quovadis verder, 'een toverspreuk.'

'Tempus prior tempore,' zei Bart.

'En drie,' zei Quovadis, en plotseling werd zijn stem harder, 'het onverantwoordelijk gebruik van toverkracht door deze twee heren hier.' Zijn ogen schoten vuur. 'Dat was een ongelooflijke stommiteit. Van jou Bart, maar vooral van jou, Olivier. Hoe haal je het in je hoofd om zoiets gevaarlijks als Stem te gebruiken zonder dat je weet wat je doet?'

Olivier boog zijn hoofd. Hij had Quovadis nog nooit zo kwaad meegemaakt. 'Het spijt me echt heel erg,' mompelde hij.

'Het was mijn schuld,' zei Bart. 'Ik heb tegen Olivier gezegd dat hij het moest proberen.'

'De jongens zijn ook tovenaar?' vroeg Marius de Grote verbaasd. 'Ik leefde in de veronderstelling dat u...'

'Olivier en ikzelf,' onderbrak Quovadis hem. 'Bart beschikt niet over magische gaven.'

'Twee tovenaars,' zei Marius de Grote, 'dat is in ieder geval wat. Dat verbetert onze kansen aanzienlijk.'

'Hoezo?' wilde Bart weten.

'De dingen die Quovadis zojuist noemde,' antwoordde Marius de Grote, en voor het eerst klonk hij minder ongeduldig, 'zijn precies de dingen die jullie nodig hebben om terug te keren naar jullie eigen tijd.' Hij stak drie vingers omhoog. 'Horloge, toverspreuk, toverkracht.'

'Toverkracht hebben we meer dan genoeg,' zei Olivier. 'En u weet vast wel wat de juiste toverspreuk is, Quovadis. Toch?'

'Ik heb werkelijk geen idee, jongen,' zuchtte de tovenaar. 'Geen flauwe notie.'

'Is het niet gewoon dezelfde?' vroeg Bart.

Quovadis schudde beslist zijn hoofd. 'Een toverspreuk kan maar één ding, Bart. En naar het verleden reizen is iets heel anders dan naar de toekomst.'

'Gelukkig hebben we het horloge wel,' zei Bart. 'Dat had jij toch vast, Olivier?'

Olivier schrok en voelde in zijn zakken. 'Kwijt,' zei hij. 'Ik moet het verloren zijn tijdens de val. Dan moet het ergens op het pad liggen, in de modder. We gaan meteen zoeken,' zei hij tegen Quovadis.

'Doe geen moeite,' zei Marius de Grote, 'je vindt toch niks.'

'Hoezo niet? Dat weten we toch pas als we het hebben geprobeerd?'

'Het kan geen twee keer bestaan,' zei Marius de Grote beslist, 'althans niet tegelijkertijd.'

'Pardon?' vroeg Bart.

'Er is maar één tijdreishorloge,' zei Marius de Grote. 'En jullie zijn van dat ene horloge, in jullie tijd, naar datzelfde horloge gesprongen, in een andere tijd. Snap je?'

Olivier dacht even na en knikte. 'Toen we uit de lucht kwamen vallen was er een ruiter te paard. Ik heb hem gezien. Dan moet hij het horloge bij zich hebben gehad.'

'Klopt,' zei Marius de Grote.

'Weet u wie die ruiter is?' vroeg Bart.

'Hij was net bij me op bezoek geweest,' gromde Marius de Grote. 'En ik durf te wedden dat hij jullie ook heeft bezocht. In jullie tijd. Zonder mijn medeweten.'

'Ik vrees dat u gelijk hebt,' zei Quovadis.

'Die ruiter is de vreemde vreemdeling?' vroeg Bart. 'Wie is het dan?'

'De enige persoon die ons kan helpen terug te keren naar onze eigen tijd, Bart,' antwoordde Quovadis. 'Hij heeft het horloge, en de juiste spreuk.'

'En toverkracht,' zei Olivier. 'Dat moet wel. Hoe kon hij anders door de tijd reizen?' Ineens stokte zijn adem. 'Natuurlijk. Ik weet wie het is.'

'Bedoel je soms...?'

'De tovenaar van het Dertiende Koninkrijk,' zei Olivier. 'Niemand minder dan Kratau.'

Extra tijd

'Dus Kratau was hier op bezoek?' vroeg Quovadis.

Marius de Grote gooide een houtblok op het vuur. De wind loeide door de schoorsteen. Buiten klonk gedempt het gerommel van de donder. 'Hij stond ineens voor mijn deur en zei dat hij toevallig in de buurt was. Hij deed heel vriendelijk, wilde weer eens bijpraten.' De uitvinder klonk geërgerd. 'Allemaal leugens.' Marius de Grote pookte kwaad in het vuur.

'Dus u kende hem al langer?'

'Jaren. Maar ik had hem in geen tijden gezien of gesproken.'

'Omdat u een kluizenaar bent,' flapte Bart eruit.

'Wat? Wat zeg je? Een kluizenaar? Ik? Waar komt dat nou weer vandaan? Een kluizenaar. Omdat ik niet graag gestoord word, zeker? Omdat ik het liefst alleen werk? Omdat ik in een toren woon?'

'Klinkt als een kluizenaar,' zei Bart.

'Lariekoek. Is een kluizenaar ooit getrouwd geweest? Heeft een kluizenaar een zoon? Een kleinzoon? Is een kluizenaar maanden per jaar onderweg? Hoe denk je dat ik aan mijn opdrachten kom? Nou?'

Bart zei niets.

'Opdrachten uit de hoogste kringen, uit alle hoeken van de Ontdekte Wereld.' Marius de Grote snoof. 'Kluizenaar. Ik ben een uitvinder.' Hij wees naar het zeilschip op de schoorsteenmantel. 'Daar, mijn laatste opdracht. Bijna klaar, alleen de gebouwen op het dek nog. Een nieuwe hoofdstad.' Er verschenen pretlichtjes in zijn ogen. 'De koning van het Eerste Koninkrijk wilde wat bijzonders, ik kreeg de vrije hand. Maar of het ooit gebouwd wordt? Het zal me benieuwen.'

'Nou en of,' zei Olivier die de drijvende stad nu pas herkende.

'Echt?' vroeg Marius de Grote.

'Quovadis woont er,' zei Olivier, 'en Bart en ik zijn er al een paar keer geweest. Een paleis, honderden huizen, drie masten en de grootste zeilen van de Ontdekte Wereld. Platinum is de mooiste stad die ik ken.'

'Hoe zeg je?' vroeg Marius de Grote. 'Platinum? Verdraaid, wat een aardige naam, die moet ik onthouden.'

Hè, dacht Olivier, had híj nu zojuist de naam Platinum bedacht? Daar leek het wel op. Maar die bestond toch al? Iets klopte hier niet. Hij probeerde heden, verleden en toekomst op een rijtje te krijgen, maar er zat ergens een knoop in zijn gedachtegang.

'De klok tikt, heren,' zei Quovadis met een van pijn vertrokken gezicht. 'We hadden het over Kratau.'

'U hebt gelijk. Kratau. Ja, ik heb hem binnengelaten. Zoals ik al zei, hij deed heel vriendelijk. Ik had natuurlijk beter moeten weten, ik had van de geruchten gehoord.'

'Wat voor geruchten?'

'Dat Kratau zich bezig zou houden met verboden experimenten en zwarte magie.'

'Ik ben bang dat die geruchten op waarheid berusten, mijn beste,' zei Quovadis. 'Kratau zal ervoor gestraft worden, de Cirkel zal hem verbannen.'

'Dat mag ik hopen,' gromde Marius de Grote. 'Als mijn goede vriend Brandewijn hoort waar hij mee bezig is...'

'Brandewijn?' zei Olivier. 'Die kennen wij, die is voorzitter van de Cirkel.'

'Nee hoor, dat is hij niet. Veel te jong.'

'Dan wordt hij voorzitter,' zei Olivier. 'In de toekomst.'

'Wij kunnen u nog veel meer over de toekomst vertellen,' zei Bart. 'Allerlei dingen die de komende eeuwen te gebeuren staan. Dan kunt u Kratau tegenhouden voordat hij...'

Marius de Grote drukte zijn handen tegen zijn

oren. 'Stop, stop! Dat wil ik allemaal niet weten. Saai, dodelijk saai.'

'Saai?'

'Als je alles van tevoren weet. Dat lijkt me het ergste wat er bestaat.'

'Waarom hebt u dat horloge dan gemaakt?' vroeg Bart.

'Extra tijd.'

'Hoe bedoelt u?'

'Zo veel plannen, zo veel ideeën en te weinig tijd om het allemaal uit te voeren. Daarom.'

'Ik begrijp er niets van,' zei Bart.

Marius de Grote zuchtte. 'En het is nog wel zo simpel. Wat leren ze jullie in de toekomst? Ik zei het straks al: dingen kunnen niet twee keer bestaan, niet tegelijkertijd. En dat geldt ook voor mensen. Als je het horloge gebruikt om door de tijd te reizen, naar het verleden of naar de toekomst, kun je onmogelijk jezelf tegenkomen.'

Bart knikte, ten teken dat hij het nu wel snapte. 'Dus je komt vanzelf in een tijd terecht waarin je niet leeft,' zei hij. 'Je bent nog niet geboren, of je bent al dood.'

'En dus krijg je extra tijd,' zei Olivier.

'Er is nog hoop voor jullie,' zei Marius de Grote.

'Maar wacht eens even,' zei Bart, 'daar klopt helemaal niets van. We zijn nu in het verleden. Als we hier een uur zijn, en we gaan terug naar onze eigen tijd, dan is daar toch ook gewoon een uur verstreken? Niks extra tijd.'

Marius de Grote schudde zijn hoofd. 'Jullie keren terug op hetzelfde moment dat je vertrekt. Al mijn berekeningen wijzen daarop. Dat uur heb je dan cadeau gekregen. Extra tijd dus.'

'Worden we nu niet ouder?'

'Geen seconde.'

'En als we hier niet wegkomen?' vroeg Olivier.

'Dan blijf je net zo oud als je nu bent, tot je ergens in de toekomst weer wordt geboren. Op dat moment sterf je.'

'Want dingen kunnen geen twee keer bestaan,' knikte Bart.

'Niet tegelijkertijd,' glimlachte de uitvinder.

'En als je naar de toekomst reist?' wilde Bart weten.

'Dan word je ook niet ouder.'

'Onsterfelijk?' vroeg Quovadis met halfgesloten ogen.

'Nee, nee, dat is een illusie,' zei Marius de Grote. 'Je kunt nog steeds overlijden aan ziekte of een ongeval. Als je maar lang genoeg wacht gebeurt dat onvermijdelijk een keer.'

'Hoe dan ook, extra tijd,' mompelde Quovadis. 'En dat verhaal hebt u aan Kratau verteld.'

'Dat is alweer een paar jaar geleden. Ik had zijn toverkracht nodig om het horloge te laten werken, tijdreizen kost nu eenmaal geweldig veel energie. En er moest een passende toverspreuk worden gevonden.'

'Om naar de toekomst te kunnen reizen.'

'Daar wilde ik het liefst naartoe. Maar Kratau zei dat het jaren kon duren voor hij de juiste spreuk zou vinden, dat zoiets bijzonder moeilijk was.'

Quovadis knikte. 'Klopt. Nieuwe spreuken ontwikkelen is tovenarij voor gevorderden, pure hogeschoolmagie. Maar Kratau was altijd al getalenteerd. Het is hem gelukt. Twee spreuken zelfs. Eén voor de heenreis, één voor de terugreis.'

'Hij wilde het horloge lenen,' zei Marius de Grote. 'Om aan Brandewijn te laten zien. Tenminste, dat zei hij. Brandewijn is blijkbaar in Zilver op bezoek bij de koning. Kratau weet van mijn vriendschap met Brandewijn. En omdat hij zo vriendelijk leek, heb ik hem het uurwerk meegegeven.'

'En daarna hebt u hem even alleen gelaten,' zei Quovadis.

'Heel even maar. Om wat te drinken te halen,' zei Marius de Grote. 'Tijdens mijn afwezigheid is hij naar jullie tijd gereisd en weer teruggekeerd. Een soort test, vermoed ik.'

'Maar hij was er bijna een hele dag,' zei Bart.

'Nultijd,' knikte Marius de Grote. 'Bewijs dat mijn berekeningen kloppen.'

'En daarna hebt u ruzie met hem gekregen?' vroeg Bart.

Het gezicht van de uitvinder betrok. 'Over zijn experimenten,' gromde hij. 'Daar begon hij zelf over. Verschrikkelijk! Al die geruchten over zwarte magie zijn waar. Ik heb hem verteld dat hij dat niet kon maken, dat ik hem bij de koning zou aangeven, bij de Cirkel, dat ik hem tegen zou houden.'

'Waar is hij dan mee bezig?' vroeg Olivier.

'Met iets wat hij driekwarters noemt,' zei Marius de Grote en zijn ogen spoten vuur. 'Een combinatie van mens en dier. Een wezen dat hij kan gebruiken als slaaf, of soldaat. Hij was er trots op en hij dacht dat ik als wetenschapper zoiets wel zou waarderen. Bah, het is gewoonweg verschrikkelijk.'

Olivier wist alles van driekwarters uit zijn eerdere avontuur met Kratau. Hij wist dat Kratau ze zou creëren, in grote aantallen. Met een leger driekwarters zou hij de macht in het Dertiende Koninkrijk overnemen. Het land zou worden verwoest.

Maar dat hoefde helemaal niet, dacht Olivier opeens. Ze wisten wat er ging gebeuren! En met die kennis konden ze Kratau tegenhouden! Ze hoefden alleen maar hun verhaal aan Marius de Grote te vertellen, die kon dan op zijn beurt de koning informeren en het Dertiende Koninkrijk zou voortbestaan!

'Een tovenaar, een raadsheer,' gromde Marius de Grote. 'Onbegrijpelijk dat zo iemand zo zijn macht misbruikt.'

'Dus u hebt Kratau gewoon de deur uit gegooid?

Kratau?' Bart klonk alsof hij het bijna niet kon geloven.

'Ik ben niet zo snel bang,' zei Marius de Grote.

'U hebt geluk gehad, mijn beste,' zei Quovadis. 'Kratau is niet meer degene die u vroeger misschien gekend hebt. Hij heeft gekozen voor de donkere kant van de magie. Levensgevaarlijk. Hij had u met het grootste gemak het zwijgen op kunnen leggen.'

'Waarom heeft hij dat dan niet gedaan?' vroeg Olivier.

'Dat is een goede vraag,' zei Quovadis peinzend. 'Ik vermoed vanwege het horloge. Waarschijnlijk denkt Kratau dat hij naar eigen inzicht het verleden kan veranderen, en naar de toekomst kan reizen om te zien hoe dat heeft uitgepakt. Dat zou absolute macht betekenen. Dan staat niets hem nog in de weg.'

Olivier luisterde naar het geknetter van de vlammetjes in de open haard. Het loeien van de wind in de schoorsteen was verdwenen, de storm was gaan liggen. Maar eigenlijk was dat niet waar, dacht hij, de ware storm moest nog opsteken: Kratau met zijn hordes driekwarters, die dood en verderf zouden zaaien en het Dertiende Koninkrijk zouden verwoesten. Ze moesten hem tegenhouden!

'Het verleden veranderen? Als hij dat denkt is hij een domoor,' snoof Marius de Grote.

'Wie? Kratau? Hoezo?' vroeg Olivier. Voor zover

hij wist was Kratau allesbehalve dom.

'Het is onmogelijk om de geschiedenis te veranderen.'

'Vertel,' zei Bart.

'Heel simpel,' zei de uitvinder. 'Stel je gaat terug in de tijd en je vermoordt je grootouders. Dan worden je ouders nooit geboren. En jij dus ook niet.'

'Ik snap het. Als je nooit geboren wordt, kun je ook niemand vermoorden,' zei Olivier.

'Onmogelijk,' knikte Marius de Grote.

'Wat vindt u dat we moeten doen?' vroeg Bart.

'Je concentreren op het enige wat telt, natuurlijk,' zei Marius de Grote. 'Als de wiedeweerga achter Kratau aan, het horloge in handen krijgen, en die toverspreuk. En dan zo snel mogelijk terug naar jullie eigen tijd.'

'Achter Kratau aan. Alsof dat zo eenvoudig is,' zei Bart. 'Die heeft al een voorsprong van wat, een uur?'

Marius de Grote wierp een blik op een van de vele klokken. 'Jullie zijn om twee uur gearriveerd. Het is nu al na drieën. Dus ruim een uur.'

'Ruim een uur,' zei Bart. 'Die halen we nooit meer op tijd in. We weten niet eens waar hij naartoe is.'

'Naar Zilver,' zei Marius de Grote. 'Daar woont hij.'

'Hoe ver is dat hiervandaan?' vroeg Olivier.

'Vier uur rijden,' antwoordde de uitvinder, 'in volle galop.'

'Onmogelijk,' gromde Quovadis. 'Ik ben bang dat ik nogal hard gevallen ben, mijn beste. Ik kan misschien nog wel rijden maar galop behoort niet tot de mogelijkheden, niet zonder bewusteloos uit het zadel te glijden. En daar heeft helemaal niemand wat aan.'

'Dat is waar,' gaf Marius de Grote toe.

'Hebt u eigenlijk wel voldoende paarden voor ons allemaal?' vroeg Olivier.

'Eén.'

'Eén?' riep Bart uit. 'Eén paard?'

'En een wagen.'

'Hoe lang?' vroeg Quovadis. 'Hoe lang zijn we daarmee onderweg?'

'Te lang,' was het antwoord.

Olivier stond op. 'Dan ga ik alleen,' zei hij. 'U blijft hier wachten, er zit niks anders op.'

'Ik ga met je mee,' zei Bart. 'Met zijn tweeën op een paard, dat gaat best. We rijden naar Zilver, doen wat we moeten doen, en rijden weer terug om u op te komen halen.'

'We moeten in ieder geval terug,' zei Olivier.

'Waarom denk je dat?' vroeg Marius de Grote.

'We komen toch alleen maar thuis als we vertrekken vanaf de plek waar we uit de lucht zijn komen vallen? Dat lijkt me tenminste logisch.'

'Nee, nee,' zei Marius de Grote ongeduldig. 'Je springt van het horloge in de ene tijd, naar hetzelfde horloge in de andere tijd, weet je nog? Dat betekent dat je vanaf elke willekeurige plek kunt vertrekken.'

Quovadis wreef over zijn voorhoofd. 'Laten we eens even rekenen. We hebben nog een kleine elf uur. Stel ik blijf inderdaad hier op jullie wachten. Vier uur heen, vier uur terug, dat geeft jullie drie uur in Zilver. Drie uur om Kratau te vinden in een stad die je niet kent. Drie uur om hem het horloge en de spreuk afhandig te maken. Dat is niet erg realistisch.'

'Maar wat moeten we dan?' vroeg Olivier. 'Meer tijd is er niet.'

'Ja,' zei Bart, 'er is geen andere mogelijkheid.'

'Altijd,' zei Marius de Grote.

'Wat?'

'Er is altijd een andere mogelijkheid. Altijd.'

'Welke dan? Hoe dan?'

De uitvinder krabde aan zijn kin. Er verscheen een dromerige blik in zijn ogen. 'Laat me even denken,' zei hij zachtjes. Hij stond op en liep naar een van de landkaarten aan de muur.

'Hier hebben we geen tijd voor,' siste Bart. 'Olivier heeft gelijk. We moeten gaan. Nu meteen.'

'Laten we eerst maar eens kijken waar onze gastheer mee komt,' fluisterde Quovadis.

Marius de Grote leek niets te horen. Met zijn vinger volgde hij de kronkelende weg van zijn toren naar Zilver. 'Tijdwinst,' mompelde hij. 'Nee, nee, niet te paard..., de kortste verbinding tussen twee punten..., gevaarlijk...'

Olivier blikte naar Bart die ongeduldig voor het haardvuur heen en weer drentelde.

Ineens draaide Marius de Grote zich om en liep zonder een woord te zeggen de kamer uit. De deur viel met een klap dicht.

'Wat krijgen we nou?' zei Bart. 'Waar gaat hij naartoe?'

Quovadis glimlachte en sloot zijn ogen. 'U lijkt zich hier helemaal niet druk over te maken,' zei Bart geërgerd.

'Ik heb vertrouwen,' zei de tovenaar. 'En die paar minuten maken toch geen verschil uit.'

'Of juist wel,' foeterde Bart. 'Olivier, zeg jij ook eens wat. Wat vind je? Zullen wij Kratau achterna gaan? We mogen dan weinig tijd hebben, maar we doen tenminste wat.'

Voor Olivier kon antwoorden ging de deur weer open. Marius de Grote had een brede grijns op zijn gezicht. 'De storm is gaan liggen.' Hij pakte een stoel, klom erop en haakte voorzichtig een van de vleermuisvleugels los van het plafond.

'Kom,' zei Marius de Grote, 'ik moet jullie wat laten zien.' Met de vleugel in een hand liep hij naar de deur.

Toen de drie vrienden niet bewogen, stopte hij.

'Kom dan,' zei hij ongeduldig. 'Ik heb de oplossing.'

Olivier en Bart keken elkaar aan. Olivier haalde zijn schouders op. Quovadis kwam moeizaam overeind. Ze volgden Marius de Grote de trappen op.

Via een deur kwamen ze op het dak van de toren uit. De storm was inderdaad gaan liggen, de wolken dreven langzaam uit elkaar en maakten plaats voor een helderblauwe hemel. Het rook fris en Olivier voelde de warme zonnestralen van de namiddagzon op zijn gezicht. Het moet hier zomer zijn, bedacht hij zich.

'Olivier!' Bart stond bij de kantelen. 'Het Dertiende Koninkrijk!'

Olivier ging naast hem staan en staarde. De toren van Marius de Grote was hoog op een heuvel gebouwd, aan de rand van een langgerekte heuvelrug. Het uitzicht over de westelijke vlakte was schitterend. Je zag dorpjes en stadjes, met elkaar verbonden door slingerende wegen. Akkers, boomgaarden, wijngaarden, alles in bloei of vol gewassen, zo ver het oog kon zien.

Op de achtergrond, ver weg in het westen, lag een machtige bergketen die zich langs de gehele horizon uitstrekte. De Koudste Bergen, dacht Olivier. Aan de andere kant lagen Ommuur-Stad en Slot Ergens, over de bergen en driehonderd jaar in de toekomst.

'Daar, de Tafelberg.' Bart wees naar een afgeplatte

berg, ver weg en maar net zichtbaar. Olivier wist wat er zich bovenop bevond: de hoofdstad van het Dertiende Koninkrijk. Hij kon zich voorstellen hoe de stad eruitzag. Als in mijn dromen, dacht hij. Een witte stad, gebouwd van het zuiverste marmer, zwevend in het zonlicht.

'Zilver,' fluisterde Olivier.

'Jullie bestemming,' knikte Marius de Grote.

'En hoe komen we daar?' vroeg Bart.

De uitvinder hield de vleermuisvleugel omhoog. 'De natuur heeft al meer problemen opgelost dan wij zelfs maar kunnen bedenken.'

'Nou en?' vroeg Bart geërgerd. 'We moeten naar Zilver, en snel ook. We hebben paarden nodig. Ik bedoel, wat kan een vleermuis nou wat wij niet kunnen?'

'Vliegen,' zei Marius de Grote en op hetzelfde moment gooide hij de vleermuisvleugel de lucht in.

De vleugel steeg op en leek heel even te aarzelen. Toen gleed hij sierlijk naar voren en volgde de contouren van de heuvels. Van een afstand leek het net een echte vleermuis, dacht Olivier, behalve dan dat deze wit was en niet flapperde, maar moeiteloos zweefde. Hij bleef de vleugel volgen tot die uit het zicht verdween.

'Perfect in balans,' zei Marius de Grote trots. 'Mijn beste uitvinding ooit. Ik noem het een zweefglijder. Zelf gebouwd, van zeildoek, hout, lijm en touw.'

'Een zweefglijder,' zei Bart, 'heel mooi, maar wat moeten wij daarmee?'

'Ik heb er nog een,' fluisterde Marius de Grote geheimzinnig. 'Een iets grotere.' Hij gebaarde met zijn vinger. 'Kom, dan zal ik hem laten zien.'

- 8 -

Zweefglijden

Achter de toren stond een houten paardenstal tegen de helling geplakt. Er waren maar twee boxen. Eentje was leeg, in de andere stond een schimmel met vriendelijke ogen die opkeek toen ze binnenkwamen. Maar Olivier merkte het niet eens want op de vloer, in het midden van de stal, lag een levensgrote zweefglijder.

De vleugel had een houten skelet waarover wit zeildoek was gespannen. De voorkant was gekromd en uit de achterkant staken gemene punten, net als bij een echte vleermuis. Onder de vleugel was een geraamte bevestigd, ook van hout, dat er wel een beetje gammel uitzag, vond Olivier. Het geheel steunde op twee lange gebogen latten.

'Wilt u dat we daarmee gaan vliegen?' vroeg Bart ongelovig.

'Ik stuur,' zei Marius de Grote. 'In een rechte lijn is het hooguit een uurtje naar de Tafelberg, zeg nog een uurtje om de stad binnen te komen, dat geeft ons meer dan acht uur om het horloge en de toverspreuk te bemachtigen. Dat zou genoeg moeten zijn.'

Bart wees naar de verzameling latten onder de vleugel. 'Dat geval moet het gewicht van ons vieren houden? We passen er niet eens allemaal in.'

'De jongen heeft gelijk, mijn beste,' zei Quovadis.

Marius de Grote zuchtte. 'Natuurlijk, ik ben toch niet gek? Ik ga, samen met de jongens. U volgt, met paard en wagen.' De uitvinder wees naar een kleine wagen met houten wielen die in een hoek van de stal stond. 'Erg langzaam, maar met uw conditie de meest comfortabele oplossing. U zou in iets minder dan tien uur Zilver moeten kunnen bereiken.'

'Nog op tijd,' zei Quovadis.

'Als we nu meteen vertrekken,' zei Marius de Grote.

'Heren?' vroeg Quovadis.

Bart knikte. 'Ik wil naar huis.'

'Ik ook,' zei Olivier.

Een kwartier later waren ze klaar om te gaan. De schimmel was voor de wagen gespannen en de zweefglijder stond aan de rand van een steile helling. Iedereen kauwde op een broodje.

Marius de Grote gaf Quovadis een droge mantel en tilde een tas vol proviand in de wagen. 'Het pad de heuvels uit volgen,' zei hij. 'Daarna linksaf. Die weg leidt helemaal tot Zilver.'

'Linksaf,' zei Quovadis.

'Hier, een zakuurwerk. Dan weet u hoeveel tijd u nog hebt. Het is nu, eens kijken, bijna kwart voor vier. U hebt nog tot twee uur vannacht. Daarna is het te laat.'

'Twee uur vannacht,' zei de tovenaar.

'Succes.' Marius de Grote gaf Quovadis een hand en liep naar de zweefglijder.

Olivier en Bart gaven Quovadis ook een hand. Olivier vond dat de tovenaar er slecht uitzag. 'Hoe voelt u zich, Quovadis?'

'Hoe ik me voel? Alsof ik uit de lucht ben komen vallen en op mijn hoofd ben beland,' bromde de tovenaar.

'Gaat u het wel redden, helemaal alleen?'

'Het alternatief is ondenkbaar,' zei de tovenaar met een flauwe glimlach.

'Het spijt me heel erg, Quovadis,' zei Olivier. 'Het is mijn schuld dat we zo in de problemen zitten.'

'En de mijne,' zei Bart. 'Het spijt mij ook verschrikkelijk.'

'Gedane zaken nemen geen keer,' zei Quovadis. 'We hebben het er niet meer over. Goed?'

Olivier en Bart knikten.

'Wat jullie gaan doen is uiterst gevaarlijk,' zei de tovenaar. 'Kratau was degene bij dat wak, daar ben ik inmiddels van overtuigd. Hij heeft jullie gezichten gezien. Als hij jullie herkent...'

'Dan weet hij dat we door de tijd zijn gereisd,' zei Bart, 'en dat we zijn horloge nodig hebben om terug te keren. En de toverspreuk. Die krijgen we dan nooit meer te pakken.'

'Dat klopt, Bart,' zei Quovadis, 'maar dat is niet eens het grootste gevaar.'

'Wat dan?'

'Hij zal zich afvragen wat jullie hier doen.'

'Nou en?'

'Jullie komen uit de toekomst,' zei Quovadis, 'zíjn toekomst. Kratau zal beseffen dat jullie de geschiedenis kennen, inclusief zijn plannen voor het Dertiende Koninkrijk.'

'Hij zal denken dat we hier zijn om hem tegen te houden,' zei Olivier, 'al is dat volgens Marius de Grote onmogelijk.'

'Hij zal jullie als een bedreiging zien,' zei Quovadis, 'een enorme bedreiging, voor alles wat hij wil bereiken. En op het moment dat hij zich dat realiseert... nou ja, meer hoef ik denk ik niet uit te leggen.'

'Dus we moeten uit zijn buurt blijven,' zei Bart. 'Maar hoe moet dat dan? Hij draagt dat horloge bij zich. En die spreuk zit waarschijnlijk in zijn hoofd.'

'Met verrassing en misleiding,' zei Olivier.

'Jullie belangrijkste wapens,' was Quovadis het met hem eens. Hij schudde zijn grijze hoofd. 'Wat er moet gebeuren is niet alleen gevaarlijk, maar misschien ook onmogelijk. Een horloge stelen zal nog wel lukken. Maar hoe jullie Kratau een toverspreuk afhandig moeten maken zonder dat hij het merkt, ik zou het niet weten. Ik kan me nauwelijks voorstellen dat hij zoiets belangrijks zomaar ergens heeft opgeschreven.'

'We bedenken wel iets,' zei Olivier.

'We zullen wel moeten,' zei Bart.

'Mooi zo. Nog één ding voor jullie vertrekken.' De tovenaar klonk ernstig.

'Wat is er, Quovadis?'

'Jullie moeten me één ding beloven.'

'En dat is?' vroeg Bart.

'Als de tijd daar is, en jullie hebben de mogelijkheid om terug te keren, dan ga je. Ook als ik er nog niet ben.'

'Maar…' begonnen Olivier en Bart tegelijk.

'Geen gemaar, geen tegenspraak,' zei Quovadis met een harde blik in zijn ogen. 'Niemand offert zich op. Dat is zinloos. Jullie moeten het me beloven. Hier en nu.'

'Beloofd,' zei Bart aarzelend.

'Olivier?'

'Ik vind het maar niks, maar ik beloof het wel,' zei Olivier.

'Akkoord. En nu moeten we gaan, allemaal.'

Ze liepen naar de zweefglijder. Marius de Grote wreef in zijn handen. 'Zo. Zijn jullie er klaar voor?

Alles is gecontroleerd, hij zou het moeten doen.'

'Hoe bedoelt u, zou?' zei Bart. 'U hebt dit toch wel eens eerder gedaan?'

'Niet echt, nee,' zei Marius de Grote. 'Hij is pas net af. Maar niet getreurd, in mijn hoofd heb ik al wel duizend keer met mijn zweefglijder gevlogen. Bochten naar links, bochten naar rechts, omhoog, omlaag. Als een vogel. Prachtig!' Zijn ogen glommen. 'Eigenlijk heb ik vreselijk veel ervaring. Weliswaar zonder passagiers, maar je kunt natuurlijk niet alles hebben.'

Olivier en Bart keken elkaar aan. 'We gaan dood,' zei Bart.

'Dat zal wel meevallen,' zei Marius de Grote. 'Kom, aan boord, op je buik. Hoofd naar voren. Olivier, jij daar links, en Bart, jij rechts. Voorzichtig dat je geen latten breekt, want dan is het feest voorbij.'

Olivier kroop onder het witte doek en ging liggen. Het was niet eens zo heel oncomfortabel, merkte hij. Bart volgde zijn voorbeeld.

'Waar zien we elkaar?' vroeg Quovadis. 'Ik ken de weg niet in Zilver.'

'In de klokkentoren boven het paleis,' zei Marius de Grote. 'Die kunt u niet missen. Twee uur vannacht. Uiterlijk!'

'Ik zal er zijn,' zei Quovadis. 'Succes.'

Met een knikje klom Marius de Grote aan boord van de zweefglijder en ging tussen Olivier en Bart in zitten. De houten constructie kraakte en sommige latten bogen een beetje door.

Olivier voelde hoe zijn hartslag versnelde. Hij greep een van de dwarslatten en hield zich stevig vast.

'Een duwtje graag,' riep Marius de Grote naar Quovadis. Hij klonk opgewonden, alsof dit het leukste was wat er bestond.

Olivier voelde hoe de achterkant van de zweefglijder werd opgetild. Ze balanceerden op de rand van de heuvel.

'Nu!' riep Marius de Grote. Hij had twee touwen vast, zag Olivier, in elke hand één.

Met een klein schokje gleden ze naar voren. De steile helling was begroeid met gras, en nog helemaal nat van de regenbuien. De zweefglijder zoefde eroverheen als een slee over de sneeuw, sneller, steeds sneller. Het houten geraamte onder de vleugel knarste en kraakte.

'Daar gaan we!' schreeuwde Bart opgetogen. Het ging nog sneller. Alles begon te rammelen.

'Kijk!' gilde Bart.

Olivier keek op en zag wat Bart bedoelde: een eindje verder leek de helling ineens op te houden. Daarachter lag een diep dal waarvan de bodem onzichtbaar was. Als een kogel schoten ze eropaf. Het beeld van een schuimende rivier vol scherpe rotspunten verscheen in Oliviers hoofd. De zweefglijder schudde inmiddels zo hard dat zijn tanden ervan klapperden. Hij durfde bijna geen adem meer te halen en hield zijn blik strak op de rand van de afgrond gericht.

'Vijf,' telde hij hardop. 'Vier, drie…'

Het gerammel werd onverdraaglijk. '… een!' schreeuwde Olivier. Op datzelfde moment viel de grond onder hem weg.

Ze doken de afgrond in. Ver beneden hem stroomde een rivier schuimend over rotsen, precies zoals hij zich had voorgesteld. De wind floot langs de vleugel.

We storten neer, dacht Olivier.

Maar Marius de Grote trok met een brede grijns op zijn gezicht langzaam de touwen naar zich toe. Olivier voelde hoe de zweefglijder daar meteen op reageerde: ze schoten omhoog.

Terwijl Quovadis naar ze stond te kijken, vlogen ze met hoge snelheid weer langs de helling omhoog. De wind tilde de vleugel op en een paar bochten later scheerden ze over het hoofd van Quovadis, zo dichtbij dat het leek of ze hem aan konden raken.

'Te gek,' schreeuwde Bart.

Alsof hij nooit wat anders had gedaan draaide Marius de Grote behendig een rondje om zijn toren.

Olivier zag hoe Quovadis houterig op de bok van de wagen klom en de teugels pakte. De schimmel schudde een keer met zijn hoofd en begon te lopen.

Marius de Grote wierp een snelle blik op zijn uurwerk. 'Vier uur precies.' Hij knikte. 'Daar gaan we dan.' En met een laatste groet naar Quovadis richtte hij de neus van de zweefglijder naar de westelijke laagvlakte.

De race tegen de klok was begonnen.

De akkers, velden en dorpen van het Dertiende Koninkrijk schoten onder de witte vleermuisvleugel door. Hier en daar stopten mensen met werken en keken met open mond toe, alsof ze iets onmogelijks hadden gezien.

Het grootste deel van de lucht was blauw, en een warme namiddagzon bescheen het land. Hoog boven hun hoofden dreven een paar witte wolken en verder naar het zuiden zag Olivier het onweer boven de heuvels hangen. Af en toe flitste de bliksem, te ver weg om nog gevaarlijk te zijn.

'We houden voorlopig een iets noordelijke koers aan,' riep Marius de Grote boven het gefluit van de wind uit. 'Westnoordwest. Dan weten we zeker dat we Kratau onderweg niet tegenkomen.'

Dat was verstandig, dacht Olivier. Met zijn toverkracht zou het voor Kratau geen enkel probleem zijn om de zweefglijder neer te halen.

'Ik wil geen spelbreker zijn,' riep Bart, 'maar volgens mij halen we het nooit. Met wat voor koers dan ook. We zitten nu al te laag!'

Dat was waar, dacht Olivier. Met elke meter die ze

aflegden, daalde de zweefglijder een klein beetje. Ze hadden bij lange na niet voldoende hoogte over om de hele weg naar Zilver in één keer af te leggen. Ze konden natuurlijk wel landen, maar dan kwamen ze nooit meer weg. Ze moesten stijgen. De vraag was hoe?

'De natuur heeft ook dat probleem allang opgelost,' grinnikte Marius de Grote. 'Wie het ziet mag het zeggen.'

'U gaat me toch niet vertellen dat dit vleugelding ook nog kan fladderen, hè?' riep Bart.

'Nee,' bromde Marius de Grote, 'dat kan dit vleugelding niet. Maar gelukkig hebben vogels ook nog een andere manier van stijgen bedacht. Een eenvoudigere manier. Kijk daar maar eens.'

Marius de Grote wees naar een arend die met gespreide vleugels boven de vlakte zweefde. De roofvogel draaide kleine rondjes.

'Hij stijgt,' riep Bart. 'Hoe kan dat?'

'Kom, kom, dat zouden jullie moeten weten. De zon verwarmt de aarde. Maar de ene plek wordt warmer dan de andere, en de lucht erboven dus ook. Warme lucht is lichter dan koude lucht.'

'Dat laatste wist ik al,' zei Bart. 'En warme lucht stijgt op.'

'Juist. En als je in zo'n kolom stijgende lucht vliegt, dan stijg je dus mee. Dat is precies wat die arend doet. Cirkelen in een kolom stijgende lucht.

Hoogte winnen, zonder vermoeiend gefladder. Briljante oplossing. Gaan wij ook doen.'

Marius de Grote zette koers naar de arend en begon ook te cirkelen. Meteen voelde Olivier het effect. Een soort kalme, zacht suizende windvlaag tilde de vleugel op en stuwde hem naar boven.

De arend blikte niet eens in hun richting, alsof hij het luchtruim wel vaker met dit soort vreemde wezens deelde. Olivier vond het een prachtig gezicht. Hij was nog nooit zo dicht bij een roofvogel geweest. Samen spiraalden ze omhoog.

'Hoog genoeg,' riep Marius de Grote even later. Hij drukte de neus van de zweefglijder weer in de goede richting en al snel was de arend uit het zicht verdwenen.

Olivier genoot van de vlucht. Hij had al eens eerder gevlogen, in de heteluchtballon van Aurora, maar deze manier van vliegen, als een echte vogel, vond hij nog veel mooier. Marius de Grote wist telkens weer een kolom stijgende lucht te vinden en de Tafelberg kwam steeds dichterbij. De witmarmeren gebouwen van Zilver glansden in het zonlicht. Net zoals Olivier zich altijd had voorgesteld, maar toch ook weer anders, mooier nog. Olivier glimlachte. Dit was zijn stad, zijn land. De koning die hier op de troon zat was ook een Van Daar tot Hier. Zijn overoverovergrootvader. Hoe zou het zijn om hier te wonen, vroeg hij zich af. Op een vreemde manier voelde het Dertiende Koninkrijk vertrouwd, als een soort thuis.

'Krak!'

Olivier keek geschrokken op.

'Wat was dat?' riep Bart.

'Daar,' wees Olivier.

In het houten skelet van de vleugel was een scheur verschenen.

'Het hoofdspant,' kreunde Marius de Grote. 'En ik wilde bijna gaan landen.'

'Wat betekent dat, hoofdspant?' vroeg Bart.

'Dat we het waarschijnlijk niet gaan redden.'

'Dat we het waarschijnlijk niet gaan redden? Ik krijg wat van die uitvindingen van u.'

Marius de Grote reageerde niet. Hij hield zijn blik strak op de vleugel gericht en trok de neus van de zweefglijder voorzichtig omhoog. Olivier voelde hoe de snelheid terugliep en keek bezorgd naar beneden. Ze zaten hoog, wel tweehonderd meter, schatte hij, en vlogen boven een bebost gebied, afgewisseld met akkers en een paar boerderijen. Zilver was de dichtstbijzijnde stad.

'Krak!!' De scheur in het hoofdspant werd groter. Olivier kreeg een wee gevoel in zijn maag.

'Kun jij iets met die magische krachten van je?' vroeg Marius de Grote dringend.

'Ik vrees van niet,' antwoordde Olivier.

'Fijn is dat.' Marius de Grote klemde zijn tanden

op elkaar. 'We moeten een plek vinden om te landen. Een weiland of een akker, en het liefst in een rechte lijn voor ons uit. Ik durf geen bochten meer te maken.'

'Krak!!!'

'Niks geen bochten maken!' gilde Bart. 'Wél bochten maken! Rechtsaf! Daar naartoe!' Hij wees naar het spiegelende oppervlak van een meertje, dat nog geen halve mijl verderop tussen de bomen lag.

'Water,' gromde Marius de Grote. 'Heel goed, jongeman. Dat halen we misschien nog net.'

Uiterst behoedzaam trok hij aan het rechtertouw. De zweefglijder begon gehoorzaam te draaien.

Olivier hield zijn ogen strak op de scheur gericht. Hij voelde hoe de wind aan het zeildoek trok. Het houten skelet verwrong, maar de zweefglijder hield het.

Voorzichtig trok Marius de Grote de vleugel weer recht. Het meertje lag nu direct voor hen.

'Kraaaaak.' Het hout scheurde verder open.

De oever kwam dichterbij.

'We redden het!' gilde Bart.

Millimeter voor millimeter scheurde het hout verder.

De oever van het meertje gleed onder hen door. Olivier had de indruk dat de hele vleugel trilde. We zitten veel te hoog, dacht hij, zo'n val overleven we nooit, zelfs niet boven water.

Marius de Grote dacht blijkbaar hetzelfde. 'Hou je vast!' Hij liet de touwen vieren. Meteen dook de zweefglijder steil naar beneden, recht op het meertje af. Tachtig meter, vijftig, dertig. Olivier hield zijn adem in. De wind floot, de vleugel schokte, het zeildoek klapperde.

Vlak boven het water trok Marius de Grote beide touwen naar zich toe, zo ver hij kon. De neus van de zweefglijder schoot omhoog en Olivier voelde hoe ze hard afremden. Er klonk een knal. De vleugel brak en klapte omhoog.

Heel even leek het of ze stil in de lucht bleven hangen, toen buitelden ze naar beneden. Olivier werd uit de zweefglijder geslingerd.

Plons!!!

Hij schoot onder water, een donkergroene wereld vol waterplanten. Duizenden luchtbelletjes stroomden naar het licht aan de oppervlakte. Olivier trapte uit alle macht met zijn benen en zwom ze achterna.

Happend naar adem kwam hij boven.

'Olivier!'

'Bart! Alles goed? Waar is Marius de Grote?'

'Hier!' klonk het proestend tussen de resten van de zweefglijder. Na een spijtige blik op de overblijfselen zwom de uitvinder naar hen toe. 'Beetje kromme landing,' zei hij, 'dat geef ik toe, maar het blijft een geweldige uitvinding, nietwaar?'

Binnendoorweggetje

'Denkt u dat iemand ons heeft zien neerstorten?' vroeg Bart toen ze druipend op de oever stonden.

'Ongetwijfeld,' zei Marius de Grote. Hij trok zijn schoenen uit en goot ze leeg.

'U doet net of dat niet erg is,' zei Bart. 'Als iemand ons heeft gezien...'

'Gaat dat nieuws als een lopend vuurtje door de stad,' knikte Marius de Grote, 'en komt het vanzelf bij Kratau terecht.'

'En dat is niet erg?' vroeg Olivier terwijl hij zo veel mogelijk water uit zijn tuniek probeerde te wringen. 'Als Kratau hoort dat wij in zijn buurt zijn...'

Marius de Grote schudde beslist zijn hoofd. 'Jullie maken een denkfout. Wat Kratau zal horen is een verhaal over een vliegende vleugel, en dan denkt hij meteen aan mij want hij weet dat ik al heel lang aan zoiets werk. Hij zal veronderstellen dat ik hier ben om de koning in te lichten over zijn experimenten, over zijn driekwarters. Over jullie weet hij niets.' Marius de Grote trok zijn schoenen weer aan.

'Behalve als mensen hebben gezien dat we met zijn drieën onder die vleugel hingen,' zei Bart.

'Als, als, als,' mopperde Marius de Grote. 'Ten eerste is dat maar de vraag en ten tweede gelooft Kratau een dergelijk bericht toch niet. Hij weet dat ik alleen woon en altijd alleen werk. Maar zelfs als hij gelooft dat ik plotseling een paar assistenten heb, waarom zou hij dan aan jullie denken?'

Bart haalde zijn schouders op. 'Geen idee.'

'Toch heeft Bart wel een beetje gelijk,' zei Olivier. 'Wat als iemand ons straks samen met u de stad in ziet gaan en dat aan Kratau meldt? Wat als iemand kan beschrijven hoe we eruitzien?'

'We moeten ons opsplitsen,' knikte Bart, 'en één voor één de stad binnengaan.'

'Dat kan,' zei Marius de Grote, 'maar ook dat is riskant. Ik had iets heel anders in gedachten. Een andere weg. Dan komen we niemand tegen, dat garandeer ik je.'

'Een andere weg? Er was toch maar één weg naar Zilver?' vroeg Bart.

'Weg is misschien niet helemaal het juiste woord,' grijnsde Marius de Grote. 'Kom maar mee, dan kun je het zelf zien.'

De flanken van de Tafelberg rezen loodrecht uit de grond, als de muren van een onneembaar fort. Zo leek het althans als je dichtbij stond, dacht Olivier.

Hij moest zijn hoofd helemaal in zijn nek leggen om de torens van Zilver te kunnen zien.

Halverwege de berg kronkelde een lint als een slang naar boven. Het lint leek smal maar Olivier wist wel beter. Het was in werkelijkheid een brede weg van wit marmer die van de vlakte helemaal naar de top van de Tafelberg voerde. De weg die toegang gaf tot Zilver.

'We gaan toch niet klimmen, hè?' vroeg Bart die ook omhoog stond te kijken.

'Ben je mal,' zei Marius de Grote.

'Hoe komen we er dan?'

'Ik ken een binnendoorweggetje,' was het antwoord. Marius de Grote schoot in de lach toen hij Barts gezicht zag. 'Het binnenste van de Tafelberg is een soort gatenkaas,' legde hij uit. 'Vol gangen, grotten en spelonken.'

Olivier moest meteen aan zijn eerdere avontuur met Kratau denken. Hij zag dat Bart hetzelfde deed. Ze wisten alles over de onderaardse gewelven en spelonken in de Tafelberg.

'Het is nogal een doolhof,' ging Marius de Grote verder, 'maar ik ken de route die naar boven voert.'

'Prima,' zei Bart. 'Waar is de ingang?'

'Voor je neus,' zei Marius de Grote.

Olivier probeerde te begrijpen wat de uitvinder bedoelde, maar hij zag niets wat ook maar in de verste verte op een deur leek. Onder aan de bergwand sijpelde een klein stroompje uit een spleet, maar daar pasten ze nooit door.

'Een deur,' zei Marius de Grote.

'Een deur? Ik zie geen deur,' zei Bart ongeduldig.

'Kijk eens naar boven. En naar links. En nu naar rechts.'

Ineens zag Olivier het. Een rotsblok van enorme afmetingen, min of meer rechthoekig, leunend tegen de bergwand. Zo groot als een huis, dacht Olivier. Nee, groter nog.

'Maar…' begon Bart.

'Ik ben hier opgegroeid,' glimlachte Marius de Grote. 'Op een dag, ik was ongeveer zo oud als jullie nu, heb ik de ingang ontdekt die achter deze steen schuilgaat. De ingang tot een grottenstelsel. O, ik heb wat in het binnenste van de Tafelberg rondgezworven, ontelbare uren, eerst alleen, later met mijn vrienden. Het was de perfecte plek om te spelen. Een geheime plek. Hele ontdekkingsreizen hebben we gemaakt. Tot iemand viel en een been brak. Toen kwamen onze ouders er natuurlijk achter.' Marius de Grote haalde spijtig zijn schouders op. 'Ze vonden het veel te gevaarlijk, dus de boel werd afgesloten.'

'Dat rotsblok weegt tonnen.'

'Het is graniet,' zei Marius de Grote. 'Ik denk dat het eerder honderden tonnen is.'

'Hoe is het dan verplaatst?'

'Met magie,' zei Marius de Grote. 'Door Kratau.'

'Natuurlijk,' zei Bart.

'Wat denk je, Olivier, kun jij het optillen?'

Olivier keek omhoog. Zoiets zwaars had hij nog nooit geprobeerd. 'Ik denk het wel,' zei hij weifelend.

'Mooi zo. Maar wacht nog even, we hebben daarbinnen licht nodig.'

Van een paar takken, repen boomschors en handenvol gedroogd gras maakte Marius de Grote binnen een mum van tijd een paar toortsen. 'Nu nog iets om de boel te doen ontbranden,' mompelde hij.

'Daar kan Olivier wel voor zorgen,' zei Bart.

'Wat? O ja, natuurlijk.'

Olivier concentreerde zich. Na een moeiteloos duwtje van zijn geest vatten de toortsen vlam.

'Handig,' zei Marius de Grote, 'Heel handig. Maar nu het grote werk.'

Olivier knikte en deed een stapje achteruit. Hij sloot zijn ogen en voelde hoe de energie van de Vierde Vaardigheid in hem opwelde, een verblindend wit licht dat zijn hele hoofd leek te vullen. Hij deed zijn ogen open en strekte zijn handen uit naar het massieve rotsblok.

De eerste paar tellen gebeurde er niets. Olivier voelde hoe de zwaartekracht hem tegenwerkte, aan het rotsblok trok. Het was moeilijker dan hij had gedacht, zwaarder. Hij duwde harder. Met een schrapend geluid kwam het rotsblok in beweging. Maar na een paar centimeter moest Olivier het opgeven.

'Kom op,' riep Bart.

Met samengeperste lippen probeerde Olivier het nog een keer. Knarsend kwam het enorme blok los van de grond. Er verscheen een donkere opening, een hongerige reuzenmond die zich langzaam opende.

'Magnifiek,' zei Marius de Grote met ontzag in zijn stem. 'Nog iets hoger, graag.'

'Hoger?' hijgde Olivier. 'Ik kan niet hoger. Opschieten. Ik houd dit niet veel langer.

Marius de Grote bukte zich en dook naar binnen. De schaduw leek hem op te slokken.

'Nu jij, Bart.'

Bart glipte ook door de opening.

Olivier voelde hoe het heldere licht in zijn hoofd aan kracht verloor. Het enorme gewicht van al die tonnen was zelfs voor zijn toverkracht te veel. Het rotsblok begon te zakken, centimeter voor centimeter, Olivier kon het niet lang meer tegenhouden. En dat was niet het enige probleem, dacht hij ineens. Als hij naar binnen wilde moest hij bukken. En het rotsblok onder controle houden deed hij met zijn blik, en met uitgestrekte armen. Dat ging niet als hij moest bukken. Wat nu? Op zijn rug naar binnen proberen te schuiven? Dat duurde veel te lang.

'Zeg, kom je nog?' hoorde hij Bart roepen. Zijn

vriend klonk bezorgd, ongetwijfeld omdat hij zag dat de opening steeds kleiner werd.

Er is nog een andere mogelijkheid, dacht Olivier. Hij schuifelde een paar passen naar voren en haalde diep adem. Met een laatste krachtsinspanning gaf hij het rotsblok een enorme zet omhoog en op hetzelfde moment dook hij naar voren.

Nog geen seconde nadat hij naast Barts voeten landde, viel het rotsblok met een onverbiddelijke dreun weer op zijn plaats.

'Zo,' zei Bart droogjes, 'die zit dicht.' En op een hele andere toon: 'Ben je helemaal gek geworden? Je had dat ding op je kop kunnen krijgen. Dan was je morsdood geweest.'

Olivier liet langzaam zijn adem ontsnappen. 'Ging niet anders.' Hij stond wat beverig op.

'Idioot! Hier.' Bart gaf hem een toorts.

Ze stonden in een grot met ruwe wanden en een plafond vol scheuren. Het was er koud en het rook muf. Buiten de lichtkringen van de toortsen heerste een diepe, inktzwarte duisternis.

Marius de Grote stond wat verderop op een verhoging en wenkte naar ze. 'Deze kant op.' Zijn stem klonk hol. Hij draaide zich om en verdween in een gang.

Olivier en Bart klauterden hem achterna. De gang was maar kort en mondde uit in een sprookjesachtige ruimte. Verbaasd bleef Olivier staan. Spiraalvor-

mige kegels van witte kalksteen hingen als langgerekte kroonluchters aan het plafond. Direct eronder
rezen vergelijkbare kegels van de vloer en reikten
naar hun hangende soortgenoten. Sommige raakten
elkaar en vormden ononderbroken kolommen, andere waren nog niet zo ver. Alsof ze naar elkaar toe
groeiden, dacht Olivier. Hij hoorde het drup-drup
van water, overal om hem heen, maar verder was het
doodstil in de grot.

'Elk waterdruppeltje dat hier valt laat een beetje
kalk achter,' zei Marius de Grote. 'Een minuscuul
klein beetje. Zo ontstaan ze, druppeltje voor druppeltje. Duurt honderden jaren voor ze zo groot zijn
als deze. Prachtig, nietwaar?'

Dus ze groeien echt, dacht Olivier terwijl hij tussen de wonderlijke vormen door liep.

'Ongelooflijk,' vond Bart.

'Kom, verder.'

Ineens bleef Olivier stokstijf staan. Bart liep hem
bijna omver. 'Wat is er?'

'Er bewoog iets,' fluisterde Olivier. 'Daar.' Zijn
hart klopte in zijn keel.

Bart hield zijn toorts omhoog. 'Waar? Daar? Ik zie
niks. Je zult het je wel verbeeld hebben.'

'Komen jullie nog?' Marius de Grote klonk ongeduldig.

Olivier tuurde nog een keer naar de plek waar hij
beweging had gezien. Beweging, hij wist het zeker.

'We komen eraan,' riep Bart. 'Misschien was het een vleermuis,' zei hij op iets zachtere toon tegen Olivier.

'Misschien,' zei Olivier.

'Het moet haast wel,' zei Bart, 'iets anders kan het niet geweest zijn.'

Ze klommen steeds hoger, in een stevig tempo, door gangen en grotten en gaten. Ze dronken uit een ijskoud stroompje en kwamen langs een diep onderaards meer waar vreemd uitziende vissen in zwommen die helemaal doorzichtig waren. Soms moesten ze zich liggend op hun buik door smalle spleten wringen, soms kwamen ze door grotten die zo groot waren dat je de overkant niet eens kon zien. Het was maar goed dat Marius de Grote na al die jaren de weg nog wist, dacht Olivier. Je kon hier hopeloos verdwalen. Die gedachte bezorgde hem koude rillingen.

Hij had geen verdachte dingen meer gezien, maar toch had hij het gevoel dat ze niet alleen waren. Iets of iemand hield hen in de gaten, ergens in de duisternis.

'Niet ver meer,' hijgde Marius de Grote na een poosje. 'Die gang nog, en een laatste grot, een heel klein stukje klimmen en dan zijn we er. Er was vroeger een deur naar de voorraadkelders onder het paleis. Die is toen dichtgemetseld, maar voor Olivier is het een koud kunstje om hem weer open te krijgen.' Hij klemde zijn toorts tussen een paar stenen en liet zich op de grond zakken. 'Even op adem komen. En even kijken hoe laat het is.'

'Doet uw horloge het nog?' vroeg Bart. 'Ik dacht...'

'Wat? Dat het vol water zat? Niks ervan. Niet mijn uurwerken.' Marius de Grote knipte zijn horloge open. 'Zie je wel, doet het prima. Tien voor zes. Kratau is op zijn vroegst om zes uur in Zilver. Ik zou zeggen dat we hem hebben ingehaald of bijgehaald of hoe je het ook noemen wilt.'

Olivier stak zijn toorts ook tussen een paar stenen, toen hij hoorde hoe een steentje naar beneden rolde, ergens achter hem, in de schaduwen. Geschrokken keek hij in de richting van het geluid maar hij zag niets. 'Zullen we weer verder gaan?' vroeg hij.

Marius de Grote kwam moeizaam overeind. 'Ik ben hier veel te oud voor,' grinnikte hij. 'Dat wordt een flinke spierpijn, morgen.'

Er rolde weer een steentje naar beneden, iets groter dit keer. Het kletterde op de vloer. Olivier deed onwillekeurig een stapje achteruit.

'Rustig maar,' zei Marius de Grote, 'gewoon een steentje. Niks om je zorgen over te maken.'

Olivier reageerde niet. Hij keek naar Bart. Zijn vriend stond doodstil naar iets te staren. De hand waarmee hij zijn toorts vasthield trilde.

'Wat is er, Bart?' fluisterde Olivier. 'Wat zie je?'

'Ogen,' antwoordde Bart.

- 10 -

Driekwar

Ogen.

Olivier zag ze nu ook. Twee lichte ogen met inkt-zwarte pupillen die zonder te knipperen naar hem staarden.

Uit de schaduwen klonk een zacht gesis. Olivier zag beweging, zwart tegen zwart.

'Olivier,' fluisterde Bart dringend, 'doe iets.'

Olivier wilde zijn armen uitsteken toen Marius de Grote een hand op zijn schouder legde. 'Nog niet,' fluisterde de uitvinder. 'We weten niet of er nog meer zijn.'

'Of wat het zijn,' gromde Bart.

'Achteruit.' Marius de Grote pakte zijn eigen toorts en die van Olivier. 'Langzaam.'

Voetje voor voetje liepen ze achteruit de gang in die naar de volgende grot voerde. Het wezen volgde hen op een afstand, buiten de lichtkring van de toortsen. Olivier hoorde het af en toe zachtjes sissen en grommen.

Ineens bleef Marius de Grote staan. 'Wat krijgen

we nou?' hoorde Olivier hem zeggen. 'Onmogelijk.'

'Kunnen we misschien doorlopen?' fluisterde Bart zonder zich om te draaien.

Het wezen siste.

'Een deur,' zei Marius de Grote verbaasd. 'Er zit hier een deur. De laatste grot is afgesloten!'

Olivier draaide zich om. Hij zag een houten deur met zwaar ijzeren beslag. 'Moet ik hem openmaken?'

Het wezen siste weer.

'Wat denk je?' vroeg Bart. 'Natuurlijk. En een beetje snel graag. Volgens mij komt hij dichterbij.'

Olivier gaf een duwtje met zijn geest, en het slot sprong open. Marius de Grote legde zijn hand op de deur.

'N... nee... ge...vaar...lijk.' De stem die uit de schaduwen kwam klonk als een roestige ketting. Haperend, alsof hij al heel lang niet gebruikt was.

Marius de Grote aarzelde. Bart hield zijn toorts als een zwaard naar voren.

'Wie ben jij?' slikte Olivier. 'Waarom volg je ons?'

Het wezen siste weer.

'Laat jezelf zien, maar ik waarschuw je, geen geintjes. Ik ben een tovenaar, ik kan je zo vernietigen.'

Het wezen gromde. 'To...ve...naar.... Slecht.'

'Ik ben niet slecht,' zei Olivier. 'Maar als jij ons iets probeert te doen, verdedig ik mezelf.'

Het wezen kwam naar voren en bleef net buiten de

lichtcirkel staan, in het halfduister. Olivier schrok. Het was een jongen, een paar jaar ouder dan Olivier zelf. Lange ongewassen haren hingen om een bleek, bijna doorschijnend gezicht, alsof dat nog nooit zonlicht had gezien. Zijn tuniek was gescheurd en zijn armen en zijn benen zaten vol vuil, schrammen en korsten. Een gewone jongen, zo leek het, op een paar merkwaardige details na. Hij had de spieren van een volwassen man, en de nagels aan zijn handen en zijn voeten waren dik en puntig.

'Hoe heet je?' vroeg Olivier. 'Wat doe je hier?'

'Drie... kwar,' antwoordde de jongen met een stem van schuurpapier. 'Driekwar woont... hier... Opgesloten.'

'Een driekwarter,' ademde Bart. Hij deed een stap terug.

'Een driekwarter?' vroeg Marius de Grote. 'Dit is een driekwarter? Weet je dat zeker?'

Bart knikte. 'Het meeste mens, een beetje dier.'

'Dus Kratau heeft het daadwerkelijk gedaan,' gromde de uitvinder. 'Zwarte magie, verboden experimenten, en allemaal recht onder het koninklijk paleis. Ongehoord.'

'Ko... ning...' zei Driekwar aarzelend. 'Koning.' Het was alsof hij zich iets herinnerde. 'Koning... Kratau. Lang leve... koning Kratau!' Driekwar stak zijn arm in de lucht als een soort overwinningsgebaar, maar het zag er niet overtuigd uit. Meer omdat hij het moest, dacht Olivier, omdat hij het zo geleerd had.

Marius de Grote deed een stap naar voren. 'Wat zei jij daar?' vroeg hij dreigend.

Driekwar ontblootte zijn tanden. Er verscheen een vals licht in zijn ogen en hij gromde als een wolf. De uitvinder deinsde achteruit.

'Driekwar. Heeft Kratau je hier opgesloten?' vroeg Olivier.

De driekwarter keek nog een keer naar Marius de Grote. Toen knikte hij.

'Zijn er nog meer zoals jij?'

Driekwar wees naar de deur. 'Meer. Meer.'

'Daar?' vroeg Olivier geschrokken.

Bart legde zijn oor tegen het hout en sloot zijn ogen. 'Geroezemoes,' fluisterde hij.

'Veel, veel,' zei Driekwar. 'Slecht.'

Olivier strekte zijn hand uit en de deur klikte op slot.

Driekwar siste. 'Tovenaar… sss… slecht. Kratau… sss… slecht.'

'Vraag hem eens wat hij met dat koning Kratau bedoelde,' fluisterde Marius de Grote.

Driekwar had de uitvinder blijkbaar gehoord want hij begon uit zichzelf te praten. 'Koning… Driekwar soldaat… leger… koning Kratau sterkste… koning Kratau op troon… Zil… Zilver.'

Marius de Grote's mond viel open. 'Kratau?' stamelde hij, 'op de troon? Een staatsgreep? Onzin, dat kan niet waar zijn. Zelfs hij...' Marius de Grote zag de gezichten van Olivier en Bart en viel stil.

'Jullie willen toch niet zeggen...'

'Het is waar,' zei Olivier.

'Het verraad van Zilver,' zei de uitvinder. 'Hoogverraad. We moeten hem tegenhouden. Naar de koning! Zo snel mogelijk.' Hij wees met zijn vinger naar Driekwar. 'En hij moet mee. Hij is het bewijs.'

Driekwar gromde.

Marius de Grote trok zijn hand meteen weer terug. 'Rustig maar. Ik doe je niks.'

'Kratau sss... slecht...,' siste de driekwarter. 'Driekwar... goed.'

Olivier knikte. 'Kratau is slecht, Driekwar, en jij bent goed. Dat vinden wij ook. Wil je ons helpen?'

'Helpen,' zei de driekwarter.

'Brandewijn,' zei Marius de Grote ineens. 'Die is in het paleis, weten jullie nog? We laten hem Driekwar zien. Als bewijs. Brandewijn is lid van de Cirkel. Als hij de rest inlicht... Samen kunnen ze Kratau vast wel tegenhouden.'

'Ik wil niet vervelend doen,' zei Bart, 'maar Olivier en ik willen naar huis, weet u nog? En daar hebben we Kratau voor nodig. Wat als hij op de vlucht slaat? Kunt u Brandewijn niet inlichten als wij weg zijn?'

Marius de Grote wreef over zijn kin. 'Je hebt gelijk. Te riskant. We moeten wachten, tot twee uur vannacht.'

'Vannacht,' knikte Driekwar opgewonden. 'Twee. Twee.'

'Wat bedoel je, Driekwar?' vroeg Olivier.

'Aanval,' zei de driekwarter. 'Iedereen... slaapt. Vannacht... twee... twee uur.'

'Krataus aanval komt vannacht?' vroeg Bart. 'Vannacht?! Dat hebben wij weer. Je weet het zeker? Om twee uur?'

De driekwarter knikte een paar keer heel snel achter elkaar. 'Twee. Twee.'

'Hoe weet jij dat eigenlijk?'

'Kratau praat. Driekwar luistert,' zei de driekwarter.

Olivier, Bart en Marius de Grote keken elkaar aan.

'Waar?' vroeg Olivier.

'Opening. Luisteren.'

'Kun je ons laten zien waar die opening is, Driekwar?'

De driekwarter twijfelde. 'Gevaarlijk. Kratau. Kratau slecht.'

'Als je ons laat zien waar dat is,' zei Olivier, 'dan kunnen we Kratau misschien tegenhouden.'

'Laten zien,' gromde de driekwarter, 'tegenhouden.' Toen draaide hij zich om en beende met grote passen weg.

Ze hadden de grootste moeite om Driekwar bij te houden. Vooral Marius de Grote had het zwaar.

'Geen idee waar we zijn,' hijgde de uitvinder. 'In dit deel van de Tafelberg ben ik nog nooit geweest. We zijn niet meer onder het paleis. Hoe ver is het eigenlijk nog?'

'Niet ver,' grijnsde Driekwar toen Olivier hem ernaar vroeg, 'niet ver.'

De driekwarter leek zich thuis te voelen in de onderaardse wereld. Terwijl ze voortrenden herinnerde Olivier zich iets wat Quovadis hem ooit over driekwarters verteld had: dat ze beter konden zien in het donker. Hij zag het bewijs nu voor zich. Driekwar vond feilloos zijn weg in de duisternis. Olivier vroeg zag af hoe de driekwarter zich hier in leven hield. Misschien ving hij wel vis uit de ondergrondse meren. Driekwar was een merkwaardig soort driekwarter, veel te vriendelijk, veel te onzeker. Misschien was hij een mislukt experiment, afgedankt en opzijgezet door Kratau. Kratau was er waarschijnlijk van uitgegaan dat Driekwar hier in zijn eentje nooit zou kunnen overleven.

'We zijn er,' fluisterde de driekwarter, wijzend op een spleet in de muur boven zijn hoofd.

'Gelukkig.' Marius de Grote liet zich op de grond zakken en sloot zijn ogen. 'Even rusten,' hijgde hij.

Driekwar legde zijn vinger op zijn lippen. 'Kratau hoort,' fluisterde hij. Toen knikte hij naar Olivier en wees omhoog. 'Jij vast gaan.'

Olivier drukte zijn voet in een holte en trok zich op. Met enige moeite wurmde hij zich door de spleet die uitmondde in een klein gangetje. Hij kon er maar net rechtop staan. Hij zag een zwak schijnsel en deed behoedzaam een stap naar voren, richting een stenen rand die zijn uitzicht grotendeels belemmerde. Daarachter bevond zich...

'Kratau... daar.'

Olivier draaide zich met een ruk om en keek recht in het gezicht van Driekwar die hem geluidloos gevolgd was. 'Wil je dat nooit meer doen,' fluisterde hij. 'Ik kreeg zowat een rolberoerte.'

'Ssst,' siste de driekwarter, 'Kratau hoort. Kom. Wij kijken. Wij luisteren.'

Het zwakke schijnsel was afkomstig van een vuurplaats in het midden van Krataus grot. Dat was het eerste wat Olivier zag toen hij over de rand keek. Boven de smeulende resten van het vuur hing een grote zwartgeblakerde ketel. Er dreef iets in, maar Olivier kon niet goed zien wat het was. Rond de vuurplaats waren stenen in een kring gelegd. Olivier telde er dertien. Op elk van die stenen lag een boek. Het waren duidelijk oeroude boeken, met leren omslagen en ijzeren beslag. Eén van de boeken lag open. Misschien staat daar de tijdreisspreuk in, dacht Olivier hoopvol.

Toen vielen zijn ogen op de muren en zijn adem

stokte. Wolvenkoppen. Tientallen, nee honderden. Enorme opgezette wolvenkoppen met opengesperde kaken. In het zwakke licht leken ze uit de muren te groeien. Olivier kon ze bijna horen grommen, en hij herinnerde zich hoe Driekwar naar Marius de Grote had gegromd, als een wolf. Ineens wist hij waar hij naar keek. Hier, op deze plaats, waren de driekwarters geschapen, ontsproten aan het brein van Kratau, gecreëerd met zijn zwarte magie. Het meeste mens en een beetje wolf.

Driekwar leek zijn gedachten te lezen. 'Kratau slecht,' siste hij.

Op dat moment ging aan de andere kant van de grot een deur open, met piepende scharnieren. Driekwar gromde zachtjes. Olivier hield zijn adem in. Nu zou hij hem weer zien, degene die de sleutels in bezit had waarmee hij en Bart naar hun eigen tijd konden reizen, die ze nodig hadden om weer thuis te komen. De gevallen tovenaar uit zijn nachtmerries. De verrader van Zilver. Kratau.

Maar de persoon die Olivier vallend en struikelend binnen zag komen was niet Kratau. Het was Marius de Grote, met Bart op zijn hielen.

Kratau

'Zo,' klonk het vals uit de deuropening. 'Wat hebben we hier?'

Olivier zag hoe Marius de Grote en Bart achteruitdeinsden, tussen de stenen met de boeken door, tot ze bij de vuurplaats stonden. Toen zagen ze de wolvenkoppen en deden onwillekeurig nog een stap achteruit.

Olivier hield zijn adem in. In de schaduw bij de deur stond een lange figuur, gekleed in een donkerrode mantel. Kratau! Olivier had het gevoel dat het bonken van zijn hart voor iedereen hoorbaar was.

Een kap verborg Krataus gelaatstrekken, maar zelfs vanuit zijn hoger gelegen schuilplaats zag Olivier de ijsblauwe ogen oplichten.

Driekwar liet een zachte grom horen, diep in zijn keel. Olivier legde een hand op zijn schouder, en de driekwarter viel stil.

Kratau deed een stap naar voren. 'Marius de Grote,' zei hij spottend. 'Eindelijk heeft hij leren vliegen. Ja, ja, zeg maar niets, heel Zilver en omstreken

gonst van de verhalen over een geheimzinnige vliegende vleugel, en over brokstukken in dat meertje,
net buiten de stad. Ik wist meteen dat jij het was. Op
weg naar de koning, hè, om mij te verklikken. Ont-
ken het maar niet.'

Marius de Grote zette zijn handen in zijn zij. 'En
of ik je ga verklikken,' zei hij woedend.

Olivier zag hoe Bart omzichtig naar achteren reikte en zijn vingers door de as en het roet van de vuurplaats haalde.

Wat doet hij nu, vroeg Olivier zich af.

'Maar merkwaardig genoeg had niemand je gezien,' grinnikte Kratau, die net deed of hij Marius de
Grote niet gehoord had. 'De bewakers op de toegangsweg niet, de bewakers van de paleispoorten
niet. En dat kon maar één van twee dingen betekenen. Of je dreef zelf ook in dat meertje tussen de
brokstukken van die vlieger van je, of je had een
nieuwe ingang gevonden door het binnenste van de
Tafelberg.'

Marius de Grote liet zijn schouders zakken.

'Hoe voorspelbaar,' glimlachte Kratau.

Bart drukte zijn kin op zijn borst en wreef stiekem
over zijn gezicht. Ineens begreep Olivier wat zijn
vriend deed. Zijn gezicht vies maken, zijn gelaatstrekken verbergen. Dat was slim, heel slim. Het
laatste wat ze wilden was dat Kratau hem zou her-
kennen. Maar vooralsnog toonde de duivelse tove-

naar geen enkele belangstelling voor Bart.

'Waar is mijn uurwerk?' vroeg Marius de Grote. 'Mijn tijdreisuurwerk?'

Kratau maakte een gebaar met zijn rechterhand. Plotseling schoten er grote vlammen uit de vuurplaats op. Marius de Grote en Bart sprongen opzij. Aan de muren ontbrandden toortsen. In de weerschijn begonnen honderden wolvenogen te gloeien, alsof de dode dieren ontwaakten.

Kratau grinnikte. Hij haalde het uurwerk te voorschijn en hield het aan de ketting omhoog. 'Mooi speeltje,' knikte hij, 'alleen jammer dat ze in de toekomst niet erg loslippig zijn. Wantrouwig volkje. Maar ik weet genoeg.'

'Dacht ik het niet,' gromde Marius de Grote. 'Je hebt tegen me gelogen. Je hebt de juiste toverspreuken. Je bent naar de toekomst gereisd.'

Kratau liet het uurwerk met ketting en al op het opengeslagen boek zakken. 'Drie lange eeuwen maar liefst. En weet je waar ik achter kwam? In de toekomst durft niemand over het Dertiende Koninkrijk te praten.' Hij glimlachte tevreden. 'Angst, ik zag het in hun ogen. En de nazaten van onze geliefde koning wonen in het Eerste Koninkrijk, aan de overkant van de Koudste Bergen. Dat betekent dat hij gevlucht is, dat mijn plannen een succes zullen zijn.'

'Wat voor plannen?' vroeg Marius de Grote, die net deed of hij van niets wist.

'O, een staatsgreep,' antwoordde Kratau losjes, alsof hij het over iets heel alledaags had. 'Het wordt tijd dat ik op de troon kom, vind je ook niet?'

Toen Marius de Grote hem geen antwoord gaf, zei Kratau: 'En voor ik het vergeet: je hebt een achterachterachterkleinkind. Ene Julius, Julius Meridiaan. Ook uurwerkmaker. Erg aardig. Maar hij liep in de weg. Ik hoop dat ik hem niet te veel pijn heb gedaan.'

'Beul,' siste Marius de Grote woedend, 'verrader.'

'Kom, kom,' zei Kratau sussend, 'is dat een manier om tegen een toekomstige koning te praten? Beul? Verrader? Wat vind je van het woord 'majesteit'?'

'Nooit,' riep Marius de Grote. 'Niet zolang ik er ben om je tegen te houden.'

'Tegenhouden,' sneerde Kratau. 'Hoe wilde je dat precies doen? Met dat assistentje soms? Dat leerlingetje daar?'

Olivier zag dat Bart zijn hoofd boog en zichzelf zo klein mogelijk maakte.

Kratau liet een akelig lachje horen. 'Over een paar uur is het zo ver. Vannacht om twee uur, als iedereen slaapt, sla ik toe. Mijn driekwarters staan klaar, mijn beste machteloze Marius. Een heel leger hongerige driekwarters.' Kratau lachte hardop. 'Moord. Doodslag. Bloed. Angst. Een heel leger, recht onder het koninklijk paleis. En niemand die iets vermoedt. Niemand.' Hij stak zijn armen omhoog. 'Koning Kratau zal zegevieren!'

'Je bent gek geworden,' zei Marius de Grote.

Ineens veranderde Krataus gelaatsuitdrukking. Hij hield zijn hoofd scheef en richtte zijn ijzige blik op Bart, die zijn best deed om Kratau niet aan te kijken. De tovenaar stak een lange benige vinger uit en tilde Barts kin op.

Bart probeerde tegen te stribbelen maar het had geen zin.

'Wie ben jij?' vroeg Kratau wantrouwend. 'Marius de Grote heeft geen leerlingen, hij werkt alleen. Wie ben jij? Een spion? En waarom kom jij me zo bekend voor?'

Olivier hield zijn adem in. Als Kratau Bart herkende, zou hij ook weten dat Bart uit de toekomst kwam. Dus dat er een tovenaar in de buurt moest zijn. En dat ze terug wilden, en wat ze daarvoor nodig hadden. Als vanzelf dwaalde Oliviers blik naar het gouden horloge dat op het opengeslagen boek lag.

Bart hield zijn kaken op elkaar geklemd en probeerde Krataus blik te ontwijken.

'Dus je wilt niks zeggen?' gromde Kratau. 'Dat is heel onverstandig.'

'Wat ga je met ons doen?' vroeg Marius de Grote.

'Uitschakelen,' antwoordde Kratau.

'Wat? Maar...'

'Tot aan mijn overwinning,' voegde de gevallen tovenaar er met een brede grijns aan toe. 'Daarna mag je voor me knielen en me aanspreken met majesteit. En als je dat weigert, en als dat kleintje hier dan nog weigert te praten, nou ja, meer hoef ik toch niet uit te leggen, is het wel?'

Nog voor Marius de Grote iets kon zeggen of Olivier kon ingrijpen, rolde er een ingewikkelde spreuk van Krataus lippen.

Stem, dacht Olivier, hij gebruikt Stem. Het heldere geluid van de spreuk weerkaatste tegen de muren en rolde langs het plafond. Olivier drukte zijn handen tegen zijn oren maar hij wist dat het te laat was. Een grijze mist leek de grot te vullen. Marius de Grote gleed op de grond. Bart wankelde en zakte toen ook in elkaar. De mist werd dikker. Slaapspreuk, dacht Olivier moeizaam. Ik moet er tegen vechten, anders zijn we verloren. Hij zag hoe Driekwar al voorover was gezakt, zijn ogen dicht, hoe Kratau zich omdraaide en door de deur verdween. Oliviers oogleden voelden onmogelijk zwaar en zakten tegen zijn wil in naar beneden. Hij moest vechten! Maar het was onmogelijk om de roep van de slaap te weerstaan. Dat was alles wat zijn lichaam wilde, slapen. Olivier voelde hoe hij weggleed. Het laatste wat hij zag was het gouden uurwerk van zijn vader, blinkend in het licht van de vlammen.

Olivier dreef, zweefde, gleed. Hij hoorde stemmen, van ver weg. Zijn vader, Aurora, Quovadis. Ze riepen hem, maar wat ze precies zeiden kon Olivier niet verstaan. Het klonk dringend. '...vier!' hoorde hij nog een keer. '...worden! ...staan!' Olivier glimlachte. Nu begreep hij het. Opstaan. Wakker worden. Maar waarom zou hij? Het was laat, donker, nacht, en hij sliep heerlijk in zijn eigen warme bed, in zijn eigen kamer, thuis in Slot Ergens. Hij draaide zich nog eens lekker om en drukte zijn gezicht in het kussen.

Au! Wat was dat? Olivier knipperde met zijn ogen. Zijn wang schraapte over een ruwe stenen vloer. Waar was zijn bed? Hij draaide zijn hoofd en zag Driekwar liggen, op zijn zij en zachtjes ronkend. Ineens wist Olivier weer waar hij was, wat er was gebeurd. Hij had liggen slapen! In paniek sprong hij overeind. Hoe laat was het? Hoeveel tijd hadden ze nog? Aan zijn stijve spieren te voelen was hij uren onder zeil geweest.

'Driekwar!' Olivier pakte de driekwarter bij de schouder en schudde hem hardhandig door elkaar. 'Wakker worden! Driekwar!'

Met een vijandige snauw schoot Driekwar omhoog.

'Ik ben het, Olivier. Kom, ogen open. Geen tijd te verliezen.' Olivier stak zijn hoofd buiten de schuilplaats. Er brandden nog maar een paar toortsen en het vuur in de vuurplaats was bijna uit. Marius de Grote en Bart lagen zoals ze waren gevallen, bewegingloos op de grond. Olivier wurmde zich door de opening en liet zich langs de wand naar beneden glijden. Hij rende naar zijn slapende vrienden en schudde ze wakker. Zonder op hun protesten te letten snelde hij naar het horloge en knipte het open. Toen hij zag hoe laat het was, bleef hij roerloos staan.

Bart ging rechtop zitten en wreef in zijn ogen. 'Wat...? Waar...? Hoe laat is het?'

Marius de Grote krabbelde overeind. 'We hebben geslapen. Mijn hemel, hoeveel tijd hebben we nog?'

'Het is vijf over halftwee,' zei Olivier terneergeslagen. 'We hebben nog maar vijfentwintig minuten. Minder dan een halfuur om de juiste spreuk te pakken te krijgen. En we weten niet eens waar Kratau is. Dat halen we nooit meer.'

'Staat de juiste spreuk toevallig niet in dat boek?' vroeg Bart. 'Of in een van die andere boeken?'

Olivier bestudeerde het opengeslagen boek. De pagina's waren versierd met kronkelende draken en stonden vol toverspreuken, in lange kolommen.

'Boeken... sss... slecht,' siste Driekwar die naast hem was komen staan.

Olivier knikte. 'Volgens mij zijn het spreuken om driekwarters te creëren.'

Driekwar siste.

'Zwarte magie,' zei Bart.

'Verdraaid,' zei Marius de Grote, 'ze staan op alfabetische volgorde.' Hij bladerde door het boek. 'Ja, zie je wel, deze spreuken beginnen allemaal met een R. En hier allemaal met een S. Twee letters in dit boek, dertien boeken. Alle letters van het alfabet.'

Bart liep meteen naar het naastgelegen boek. 'De T,' zei hij, 'u hebt gelijk.' Hij liet zijn vingers over de kolommen glijden, op zoek naar tempus prior tempore. 'Nee,' zei hij spijtig, 'staat er niet in. En als die er niet in staat...'

'...dan staat de spreuk die we nodig hebben er ook niet in,' maakte Olivier zijn zin af.

'Wat jullie zoeken?' vroeg Driekwar terwijl hij zenuwachtig om zich heen keek.

'Een spreuk,' zei Bart. 'Maar ik ben bang dat we die niet kunnen vinden, althans niet hier.'

'Dus Kratau heeft zijn tijdreisspreuken niet opgeschreven,' zei Marius de Grote met een zucht. 'Dan zitten ze waarschijnlijk gewoon in zijn hoofd.'

'Wat moeten we nu?' vroeg Bart. 'Er is bijna geen tijd meer.'

'Ik zie geen enkele mogelijkheid.' De uitvinder klonk bezorgd.

'Maar er is toch altijd een andere mogelijkheid? Dat hebt u zelf gezegd.'

Marius de Grote antwoordde niet, hij schudde alleen zijn hoofd.

'Ik wil naar huis,' zei Bart. Zijn stem trilde.

'Ik ook,' zei Olivier zachtjes. 'Maar het ziet er nu

toch echt naar uit dat dat niet meer gaat lukken.'

'Mijn schuld,' zei Bart.

Olivier schudde zijn hoofd. 'Het is net zo goed mijn schuld.'

'Of die van mij,' zei Marius de Grote. 'Ik heb het tijdreishorloge bedacht en gebouwd. Of het is de schuld van Kratau, omdat hij het als eerste gebruikt heeft. Het is de schuld van iedereen.'

'Wat hebben we daaraan?' vroeg Bart.

'Helemaal niets,' zei Marius de Grote, 'maar het doet er dan ook niet toe wiens schuld het is.' Met zachte stem zei hij: 'Het lijkt erop dat jullie in deze tijd zijn gestrand. Voorgoed. Ik weet hoe hard dat klinkt, maar ik ben bang dat het de waarheid is.'

Olivier probeerde niet aan zijn vader te denken. Hij kon het bijna niet bevatten: nooit meer naar huis! 'Hij heeft gelijk, Bart.'

'Dat weet ik ook wel. Maar daarom hoef ik het nog niet leuk te vinden. Ik zou willen dat er iets was wat we konden doen.'

Even bleef het stil. Toen zei Marius de Grote: 'Laten we ons andere probleem niet vergeten.' Hij klonk grimmig. 'Kratau, het verraad van Zilver. Daar valt nog wel iets aan te doen.'

Olivier en Bart keken elkaar aan.

'We kunnen hem tegenhouden,' ging Marius de Grote verder. 'We móéten hem tegenhouden.' Toen er weer geen reactie kwam zei hij: 'Ik kan me voorstellen hoe jullie je op dit moment voelen, maar ik heb jullie hulp nodig, anders laat Kratau die bloeddorstige bende van hem los op een slapende stad. Dat kunnen we niet toelaten. Jullie moeten me helpen!'

Olivier haalde diep adem, hij voelde zich machteloos. Gestrand! Voorgoed! Dat was het enige waaraan hij kon denken.

'Ik moet naar de koning, en naar Brandewijn,' zei Marius de Grote. Hij pakte een toorts van de muur. 'Als ze Driekwar zien, als ze horen wat hij te zeggen heeft, moeten ze ons wel geloven.'

'Driekwar helpen,' zei de driekwarter. 'Driekwar weet waar uitgang is.'

'En jullie moeten Quovadis vinden,' ging Marius de Grote verder. 'Kratau denkt dat hij alleen Brandewijn tegenover zich vindt, één tovenaar. Van Olivier en Quovadis heeft hij geen idee.'

Bart keek Olivier aan. 'Wat vind je?'

Olivier haalde zijn schouders op. 'We moeten helpen,' zei hij. 'We kunnen moeilijk niks doen.'

'Mooi zo,' zei Marius de Grote. Hij probeerde de deur van de grot. 'Open.'

Olivier keek nog een keer op het tijdreishorloge en stak het in zijn zak. 'Nog twintig minuten,' zei hij. 'We kunnen maar beter rennen.'

- 12 -

Kratau praat,
Driekwar luistert

Ze snelden Driekwar achterna, door tunnels en over trappen, alsmaar omhoog.

Olivier probeerde zijn gedachten op een rijtje te zetten maar het stormde in zijn hoofd. Thuis, zijn vader, Slot Ergens. Het liefst zou Olivier weg willen kruipen, in een stil donker hoekje. Had hij maar nooit... Maar dat was zinloos, hield hij zich voor. Hij had de toverspreuk zelf uitgesproken. Tempus prior tempore. Het was zijn eigen schuld. En nu zaten ze gevangen in het verleden. Ze konden nooit meer terug. Marius de Grote had gelijk, hij moest het aanvaarden.

Maar hij merkte dat hij dat niet kon. Hij wilde naar huis.

Driekwar onderbrak zijn gedachten. 'Kratau... uitgang.'

Ze stonden voor een grote rechthoekige steen die tegen de muur leunde. Net als de steen waarmee de Tafelberg van buiten was afgesloten, dacht Olivier, alleen was deze een stuk kleiner en niet tegen zijn toverkracht bestand.

Een paar tellen later bevonden ze zich in een kleine vierkante ruimte zonder ramen of versiering. In het midden stond een langwerpige kist. Een deur leidde naar buiten.

Marius de Grote hield zijn toorts omhoog. 'Ik weet waar we zijn,' hijgde hij. 'Typisch Kratau.'

'Nou?' vroeg Bart ongeduldig. 'Waar dan?'

Marius de Grote gebaarde naar de kist. 'Dat is een sarcofaag, dus dit is een grafkamer, een tombe. We bevinden ons op de begraafplaats van Zilver.'

'Gezellig,' rilde Bart, 'een kerkhof.' Hij keek met een scheef oog naar de doodskist. 'Kunnen we misschien verder? We hebben haast, en ik krijg hier de kriebels van.'

Marius de Grote duwde de deur open. 'Het paleis is niet ver. Hoe laat is het?'

Olivier haalde het horloge te voorschijn. 'Nog zestien minuten.' Hij liep naar buiten en haalde diep adem, blij dat hij eindelijk weer in de open lucht was. De nacht was koel en fris. De begraafplaats werd omringd door oude bomen en baadde in een zacht, spookachtig licht. Dit is geen gewoon kerkhof, dacht Olivier. Elk graf was een klein paleisje, versierd met prachtig beeldhouwwerk en omringd door bloembedden. Hier lagen koningen en helden en hoogwaardigheidsbekleders.

'Buiten,' siste Driekwar. 'Vrij.' Hij staarde verwonderd naar het bleke gezicht van de volle maan.

'Daar,' wees Marius de Grote. Een witte toren rees boven de bomen uit. 'De klokkentoren van het paleis. Nog maar een klein stukje. We gaan het redden, we gaan hem tegenhouden.'

Uit de schaduwen klonk een smalend lachje.

Olivier voelde hoe zijn nekharen rechtop gingen staan. Hij zag hoe Bart en Marius de Grote geschrokken een stap achteruit deden, en hoe Driekwar in elkaar dook.

'Tegenhouden?' spotte een ijskoude stem. 'Wie gaat mij tegenhouden?'

Kratau verscheen van achter een graftombe. Zijn ogen glommen vals. 'Wel, wel, wel. Nu valt er het een en ander op zijn plaats.'

Kratau wees met een benige wijsvinger naar Olivier. 'Olivier van Daar tot Hier, nietwaar? Nazaat van onze geliefde koning, bewoner van Slot Ergens, tovenaar, en niet te vergeten schaatser. Ja, ik herken je. En nu herken ik hem daar ook. Je vriend, of is het je broer? Hij was er als eerste bij toen je dat meisje uit mijn prachtige wak haalde, of niet soms?'

Olivier zweeg, hij concentreerde zich op zijn magische krachten, voelde die uitdijen, zijn hoofd vullen.

Kratau glimlachte en hield zijn vinger op Olivier gericht. 'Eén verkeerde beweging, tovenaar, en ik vernietig je.'

Driekwar gromde.

'En mijn eigen experiment,' zei Kratau quasi-verbaasd, 'mijn eerste driekwarter. Mislukt. Te veel mens, te weinig wolf. Maar ik moet toch iets goed hebben gedaan. Je hebt het nog lang uitgehouden, daar beneden.'

Driekwar gromde luider, dreigender, maar Kratau sloeg er geen acht op. 'Dus jij gaat me tegenhouden, Marius,' zei hij spottend, 'met de hulp van deze drie hier? Hoe was je dat precies van plan? Ik was juist op weg naar beneden om een paar honderd hongerige driekwarters op de stad los te laten.'

Net als Olivier gaf Marius de Grote geen antwoord.

'Hoelang hebben ze eigenlijk nog, Marius?' vroeg Kratau. 'Onze twee tijdreizigers? Dat heb je ze toch wel verteld, hè, dat ze maar twaalf uur hebben om naar hun eigen tijd terug te keren?'

Marius de Grote knikte. 'Die twaalf uren zijn bijna voorbij,' zei hij. 'De jongens willen naar huis. Waarom geef je ze de juiste toverspreuk niet? Dan zijn ze weg en heb je er geen last meer van.'

Kratau grijnsde. 'Geen toverspreuk voor de terugweg?'

Marius de Grote schudde zijn hoofd.

'Hoe zijn ze me dan achterna gereisd?'

Bart kon zich niet meer inhouden. 'Julius Meridiaan heeft een vogel,' zei hij kwaad, 'een pratende vogel. En die heeft het allemaal gehoord: tempus prior tempore.'

Driekwar hield zijn hoofd scheef. 'Tempore,' gromde hij, maar hij deed het zo zachtjes dat alleen Olivier hem hoorde.

'Een pratende vogel,' zei Kratau geamuseerd, 'hoe wonderbaarlijk. En nu willen jullie naar huis?'

Olivier knikte. Er was zojuist iets belangrijks gebeurd, maar hij wist niet precies wat het was. Hij was moe en hongerig en bang, en hij kon niet meer nadenken.

'Goed dan, tovenaar,' zei Kratau. 'Onder één voorwaarde.'

Olivier keek op. 'En die is?' vroeg hij wantrouwend.

'Marius de Grote en die driekwarter. Als ik jullie laat gaan, lopen zij me nog steeds in de weg. Ik wil dat jij ze doodt.'

Kratau wees met zijn vinger naar beneden. Een felle lichtflits sloeg in de grond. Olivier kneep onwillekeurig zijn ogen dicht. Toen hij ze weer opende, zag hij een diep rechthoekig gat.

Driekwar siste angstig.

'Wat zal het zijn, tovenaar?' grijnsde Kratau. 'Hoe graag wil je naar huis, naar je vader? Hoeveel heb je er voor over?'

Olivier hoorde het valse plezier in Krataus stem, de oneindige slechtheid.

Kratau gebaarde naar het graf. 'Niemand hoeft het ooit te weten, Olivier,' zei hij en nu klonk hij vriendelijk, redelijk, overtuigend. 'Het is maar een kleinigheid: een oude man die binnenkort toch doodgaat, en een mislukt experiment dat nooit had mogen overleven.'

De woorden hingen in de lucht, aangenaam, dringend, bijna tastbaar. Een vorm van Stem, dacht Olivier. Hij wist hoe goed Kratau was met de Zesde Vaardigheid. Ik word betoverd, dacht hij, maar hij kon zich er niet tegen verzetten.

'Jouw leven is toch veel belangrijker,' ademde Kratau. 'Jouw leven in de toekomst. Een gericht duwtje met een van je Vaardigheden, dat is alles. Eén duwtje maar en je bent op weg naar huis, naar je vader.'

Naar huis. Olivier voelde hoe hij door de argumenten werd verleid. Niemand hoeft het ooit te weten. De woorden zweefden in brandende letters voor zijn ogen. Eén verschrikkelijk moment zei hij tegen zichzelf dat hij het maar gewoon moest doen. Toen zag hij Barts gezicht en was het moment voorbij.

Olivier voelde dat hij een kleur kreeg. Een intense haat borrelde in hem omhoog, een haat tegen Kratau en alles waar die voor stond. Zijn magische krachten roerden zich. Een enorme energie bouwde zich op in zijn hoofd, een bijna gevaarlijke hoeveelheid.

'Dus alles wat ik hoef te doen is Marius de Grote

vermoorden?' vroeg hij met samengeknepen keel.
'En de driekwarter? En dan krijg ik de juiste toverspreuk? U geeft me uw woord?'

'Olivier!' riep Bart.

'Ik wil naar huis, Bart, net zoals jij. Ik wil naar huis,
meer dan wat dan ook. En hij heeft gelijk, niemand
hoeft het ooit te weten.'

Olivier keerde zich naar Marius de Grote en
Driekwar. Hij voelde de lucht om hem heen trillen.

Kratau grijnsde.

Marius de Grote liet de toorts uit zijn hand vallen
en liep struikelend achteruit.

Driekwar kneep zijn ogen tot spleetjes en spande
zijn spieren.

'Je hebt mijn woord,' zei Kratau.

'Olivier!' riep Bart nog een keer. 'Niet doen, alsje-
blieft.'

'Ik wil naar huis, Bart,' zei Olivier zachtjes. De
lucht golfde om hem heen, kleine lichtflitsen schoten uit zijn vingertoppen. 'Maar niet ten koste van
alles.' Met een ruk draaide Olivier zich weer om.
Pure, samengebalde energie schoot tussen zijn handen vandaan en raasde op Kratau af.

De duistere tovenaar reageerde razendsnel. Zijn
arm kwam omhoog en hij wist een deel van de energie af te weren. Maar de klap was zo hard dat hij
wankelde.

Meteen duwde Olivier nog een keer en met een

woedende kreet viel Kratau achterover in het graf.

Oliviers ogen schoten naar het marmeren dak van de tombe. Hij gebaarde met zijn armen. Onmiddellijk zwiepte de stenen plaat met een enorme vaart door de lucht en kwam met een oorverdovende klap op het graf terecht.

'Naar de uitgang!!' gilde Olivier. 'Wegwezen!!!'

Ze vlogen richting de uitgang van de begraafplaats. Marius de Grote had voor het eerst geen moeite om de anderen bij te houden. Bij de poort keek Olivier achterom. De begraafplaats was bedrieglijk stil, alsof er niets gebeurd was. Had hij Kratau buiten gevecht gesteld? Onmogelijk.

Hij bleef staan.

'Olivier!' Bart greep hem bij de schouder en wilde hem meesleuren.

'Nee, Bart,' zei Olivier, 'het is nog niet afgelopen. Hij moet ons zien, ons achterna komen.'

Marius de Grote en Driekwar waren ook gestopt en kwamen teruggelopen.

'Wat? Ben je gek geworden? Hoezo?'

'Kratau was toch op weg naar de kelders, om de driekwarters los te laten? Dat moeten we zien te voorkomen.'

'Olivier heeft gelijk,' bromde Marius de Grote.

'U moet vast gaan,' zei Olivier, 'u en Driekwar. Naar de koning, naar Brandewijn, om ze te waarschuwen.'

'En jullie?'

'Bart en ik zullen proberen om Kratau naar de klokkentoren te lokken, naar Quovadis. Samen kunnen we Kratau misschien tegenhouden.'

Marius de Grote knikte. Toen zei hij: 'Ik dacht even dat je het ging doen, dat mijn laatste uur geslagen had.'

Olivier durfde de uitvinder niet aan te kijken en schudde zijn hoofd.

Op de plek waar Kratau lag was het nog steeds doodstil.

'Ik zou willen dat hij ons de juiste spreuk verteld had,' zei Bart.

'Tempore,' zei Driekwar.

Olivier keek op.

'Tempore... prior... tempus. Kratau praat, Driekwar luistert.'

Barts mond viel open. 'Olivier! Denk je...?'

Olivier bleef als aan de grond genageld staan. Tempore prior tempus, kon het echt zo simpel zijn? Hij rukte het tijdreishorloge uit zijn tuniek. Nog negen minuten! Zijn ogen dwaalden naar de klokkentoren boven de bomen.

Een machtige lichtflits schoot uit de grond. De stenen plaat op het graf van Kratau spleet met een harde knal in tweeën.

'Rennen!' riep Olivier tegen Marius de Grote. 'Nu meteen. Rennen!'

Uit het graf klonk een woedende kreet.

Marius de Grote en Driekwar draaiden zich om en renden weg. Olivier zag hoe ze om een hoek verdwenen. Zonder dat hij wist waarom voelde hij dat hij ze nooit meer zou zien.

Voor hij zich daar zorgen om kon maken riep Bart: 'Olivier!'

Uit het graf kwam de hand van Kratau omhoog, de knokige vingers klauwend naar de lucht. Dit heb ik ooit eerder gezien, dacht Olivier, in die droom, die nachtmerrie.

In het licht van de toorts die Marius de Grote had laten vallen, zagen ze Kratau uit het graf klimmen. Olivier voelde de dreiging die van de gevallen tovenaar uitging.

Kratau ging rechtop staan en keek speurend om zich heen, twee ijskoude ogen in een van haat verwrongen gezicht. Toen zag hij Olivier.

'Ik geloof dat je hem nu echt kwaad hebt gemaakt,' mompelde Bart. 'Denk je dat Driekwar…?'

'Wie weet,' zei Olivier. 'Kom, naar Quovadis. Onze laatste kans.'

Kratau slaakte een dierlijke kreet. Zijn ogen flitsten.

Toen begonnen ze alledrie te rennen.

In paniek vluchtten Olivier en Bart door het slapende Zilver, door een doolhof van lanen, steegjes en straten, links, rechts en weer links. Naar de klokkentoren die als een baken boven de andere gebouwen uitstak. Olivier had geen oog voor de schoonheid van de stad. Hij voelde zelfs de pijn in zijn benen niet, of de steken in zijn zij. Tempore prior tempus. De omgekeerde volgorde, was dat alles? Of vergiste Driekwar zich? Olivier moest ineens denken aan Melchior, de beo van Julius Meridiaan. Die had ook dingen in de verkeerde volgorde herhaald. Van Daar tot Hier, Olivier. Beo is een Melchior. Deed Driekwar hetzelfde? Of had hij de spreuk echt zo gehoord?

Olivier durfde bijna niet te hopen. Maar tegelijkertijd was dat alles wat hij deed: hopen dat ze alsnog naar huis konden.

'We zijn er,' pufte Bart. 'Dit is de paleismuur. Volgens mij hebben we hem afgeschud.'

De straat was verlaten. Olivier zette zijn handen in zijn zij en probeerde op adem te komen.

'Daar, die deur. Lijkt me een dienstingang of zoiets. Olivier?'

Een bijna gedachteloos duwtje met de Vierde Vaardigheid en de deur vloog open. Een binnenplaats, gebouwen, fonteinen, tuinen.

Ze snel en zo stil ze konden slopen ze langs het paleis tot ze onder aan de klokkentoren stonden. Er was een klein halletje en een smalle wenteltrap.

Olivier stormde als eerste naar boven, met twee treden tegelijk.

De wenteltrap eindigde abrupt op een soort platform. Hoge smalle vensters boden een adembenemend uitzicht op het stille Zilver en het omringende land. In het midden, in een stellage van zware balken, hing een reusachtige bronzen klok.

'Quovadis?'

Geen antwoord.

Olivier liep om de klok heen. 'Quovadis?'

Bart verscheen in het trapgat. 'Waar is hij?'

'Niet hier, hij is er niet.'

'Hoeveel tijd nog?' vroeg Bart.

Olivier haalde het gouden uurwerk te voorschijn. 'Het is twee minuten voor twee,' zei hij.

'Dan wachten we,' zei Bart.

'Natuurlijk wachten we.'

Bart keek naar buiten. 'Wat een uitzicht.'

'Nu nog wel. In onze eigen tijd ziet het er heel anders uit.'

Bart knikte. 'Denk je dat we de juiste spreuk hebben?' vroeg hij na een paar tellen.

'Geen idee.' Olivier hield het tijdreishorloge in het licht van de maan. 'Nog maar een minuut. Wat doen we als hij niet op komt dagen, Bart?'

Bart gaf geen antwoord. Hij wees naar het trapgat.

Olivier draaide zich langzaam om. Kratau! Er hing een inktzwarte schaduw om de tovenaar, alsof hij al het maanlicht opslokte. Alleen zijn gezicht was zichtbaar, koude ogen in een lijkbleek dodenmasker, verwrongen en vervuld van haat.

Olivier pakte Bart bij de schouder en schuifelde achteruit. Hij dacht koortsachtig na. Hoelang hadden ze nog? Veertig seconden? Vijfenveertig? Moesten ze doen wat ze Quovadis hadden beloofd? Zonder hem vertrekken? Het voelde verkeerd. Het was zijn schuld dat Quovadis hier was beland.

Kratau deed een stap naar voren en strekte langzaam zijn armen uit. Zijn ogen boorden zich in die van Olivier, zonder te knipperen.

'Olivier,' siste Bart, 'doe iets.'

Onder aan de toren ontstond tumult. Geluiden van rennende voeten en gerammel van zwaarden. Ondanks het gevaar voelde Olivier iets van opluchting. Dat waren gardesoldaten, het was Marius de Grote en Driekwar dus gelukt. Wat er nu ook mocht gebeuren, Kratau zou er niet in slagen de macht over te nemen. In ieder geval niet vannacht.

Kratau had de geluiden ook gehoord. Hij wist wat ze betekenden. 'Daar gaan jullie voor boeten,' grauwde hij.

Olivier en Bart deinsden nog verder terug. De klok benam ze het zicht op het trapgat.

'Boeten,' snauwde Kratau.

'Kratau!' De onbekende stem kwam van links en sneed als een glasscherf door de lucht.

'Kratau!' Deze stem kwam van rechts. Olivier herkende hem uit duizenden. Quovadis!

'Nu,' fluisterde Bart en hij greep Oliviers arm beet.

'Tempore Prior Tempus!!!' De woorden rolden luid en vol over Oliviers lippen. Ze galmden door de ruimte en echoden in het binnenste van de klok.

Meteen versnelden de wijzers van het horloge. Oliviers hart sprong op. Driekwar had het goed gehoord! Het werkte! Mist verscheen uit het niets en kolkte rond zijn voeten.

'Kratau!' Weer die onbekende stem van de linkerkant, maar nu klonk die als uit een diepe put.

'Kratau!' Quovadis' stem, van rechts.

Kratau twijfelde.

Een lange, ingewikkelde spreuk volgde, weer van links, en Olivier zag hoe Krataus ogen wegdraaiden en hoe de tovenaar heel traag in elkaar zakte.

'Quovadis!!!' gilde Bart maar het was net of zijn stem geen kracht had.

De wijzers van het horloge draaiden nu zo snel dat Olivier ze niet meer kon zien. De mist kolkte omhoog.

Daar! Quovadis verscheen van achter de klok. Zijn mantel golfde traag om hem heen. Hij leek te zweven. Met elke stap die hij zette, won hij aan snelheid. De mist spreidde zich steeds verder uit.

Beweging. Oliviers ogen schoten naar links.

Van achter de klok verscheen een jonge tovenaar met donkere ogen en een donkerbruin, bijna zwart gezicht. Brandewijn, dacht Olivier meteen. De toekomstige voorzitter van de Cirkel keek naar hem maar leek hem niet te zien.

Oliviers ogen schoten weer naar rechts, net op tijd om te zien hoe Quovadis afzette en sprong. De tovenaar leek te vervagen, de klokkentoren golfde en kleine lichtflitsen schoten door de lucht.

Olivier strekte zijn rechterarm uit.

Quovadis deed hetzelfde.

De toppen van hun vingers raakten elkaar.

En de wereld verging.

- 13 -

Het pact van Zilver

Olivier tuimelde over het tapijt.

Hij belandde boven op Bart en voelde hoe Quovadis over hen heen rolde.

'Oef!'

'Au!'

'Wat? Waar? Is het gelukt?'

Klokken. Overal klokken. De huiskamer van meneer Meridiaan. 'Gelukt!' riep Olivier. Hij had het gouden uurwerk van de baron in zijn hand. Ze waren weer thuis! Hij had zich nog nooit zo opgelucht gevoeld.

Bart hielp Quovadis overeind. 'Dat scheelde niet veel.'

'Een haartje,' grinnikte de tovenaar. 'Maar goed dat ik net even eerder in Zilver aankwam. Ik was al met Brandewijn op weg naar de klokkentoren, toen ik Marius de Grote tegenkwam met een nogal vreemd uitziende jongen.'

'Dus u hebt Brandewijn over ons verteld?' vroeg Bart.

Quovadis schudde zijn hoofd. 'O nee, daar was geen tijd voor.'

'Wat was dat geluid? Die galmende stem? Was u dat, jonkheer Olivier? Mijn klokken. Ze sloegen op hol, allemaal.' Julius Meridiaan was boven aan de trap verschenen, Melchior zat op zijn schouder. 'Het leek wel tovena... Jonkheer Olivier? Wat ziet u eruit! Quovadis, wat is er gebeurd?'

'Dat is een lang verhaal, mijn beste,' zei Quovadis, 'en het was een lange reis. Ik zal je er alles over vertellen. Maar niet nu, als je het niet erg vindt. Ik ben doodmoe en alles doet me pijn. Ik moet hoognodig een paar uur slapen.'

'Wacht eens even.' Meneer Meridiaan wees naar Olivier. 'Die geruchten over u...'

'Kloppen,' zei Olivier zachtjes. 'Maar ik heb liever niet dat iedereen dat weet. Ik hoop dat u het voor u wilt houden.'

Julius Meridiaan knikte aarzelend. 'Natuurlijk.'

'Waarom kom je vanavond niet naar Slot Ergens, Julius,' zei Quovadis. 'Naar het feest. Dan vertel ik je het hele verhaal onder het genot van een goed glas wijn. Ik weet zeker dat de baron je aanwezigheid zeer op prijs zal stellen.'

Olivier knikte. 'U bent van harte welkom, meneer Meridiaan. O, nog één ding.' Olivier hield het gouden horloge omhoog. 'Ik vroeg me af of u hier een onderdeeltje uit zou willen halen. Een tandwieltje of zo.

'Een tandwieltje? Eruit halen?'

'Een van die onderdelen waarvan u niet precies weet waarvoor ze dienen.'

'Geen probleem,' zei Julius Meridiaan. 'Moet ik dat nu meteen doen?'

'Graag,' antwoordde Olivier. 'Voor de zekerheid,' zei hij tegen Bart.

'Ik leg het je vanavond allemaal uit, Julius.' glimlachte Quovadis. 'O, ik heb nog een cadeautje voor je.'

Nu wist Julius Meridiaan helemaal niet meer waar hij moest kijken. 'Een cadeautje?'

Quovadis haalde het uurwerk te voorschijn dat hij van Marius de Grote had gekregen. 'Niet zo mooi als dat van de baron,' grinnikte hij, 'en de binnenkant is waarschijnlijk wat minder ingewikkeld, maar ook dit is een echte. Voor jou.'

'Hoe... wat...?' stamelde Julius Meridiaan. 'Een echte? Van de hand van Marius de Grote, bedoel je? Voor mij? Maar hoe kom je daaraan?'

'Vanavond, mijn beste Julius, vanavond. Kom jongens, het is mooi geweest. Jassen aan en naar Slot Ergens. Ik wil naar bed.'

Maar van slapen kwam niets. De baron was nog wakker. Hij wierp één blik op hun kleding en hun gezichten en eiste een verklaring.

'In de keuken dan maar,' zei Quovadis, 'en misschien kan iemand Aurora wakker maken, dan kan zij het hele verhaal ook horen.'

Even later zaten ze weer met zijn vijven in de keuken, achter een beker thee, alsof ze helemaal niet weg waren geweest. Olivier besefte nu hoe vreemd nultijd eigenlijk was: ze waren al die lange uren weggeweest en het was nog steeds vroeg in de ochtend van de eenendertigste december.

'Nou,' zei de baron, 'vertel. Wat is er in 's hemelsnaam met jullie gebeurd?'

Olivier haalde het gouden uurwerk te voorschijn en gaf het aan de baron. 'Hier is het allemaal mee begonnen, vader, met uw horloge. Een horloge van de hand van Marius Meridiaan, Marius de Grote.' En Olivier begon te vertellen.

'Wauw,' zuchtte Aurora toen Olivier klaar was. 'Wat een verhaal. En wat hebben jullie een geluk gehad!'

'Dat kun je wel stellen,' zei Bart.

'Maar denken jullie niet dat jullie de geschiedenis hebben veranderd?' vroeg het meisje. 'Jullie hebben een staatsgreep voorkomen. Een staatsgreep!'

'Uitgesteld,' zei Bart. 'Alleen maar uitgesteld. Je weet toch wel wat er daarna gebeurt? Brandewijn zorgt ervoor dat Kratau door de Cirkel wordt verbannen maar Kratau zet zijn experimenten voort, in het diepste geheim, in de Onontdekte Wereld. Dan komt hij terug, met nog veel meer driekwarters. En dat is eigenlijk het echte verraad van Zilver, het einde van het Dertiende Koninkrijk.'

'Natuurlijk weet ik dat,' zei Aurora. 'Maar als jullie niet naar het verleden waren gereisd, was het hem de eerste keer al gelukt. Jullie hebben hem tegengehouden. Júllie. Of niet soms?'

'Volgens Marius de Grote is het onmogelijk om de geschiedenis te veranderen,' zei Olivier.

'Ja,' peinsde Quovadis. 'Dat zei hij, maar misschien heeft hij zich vergist. Ik weet het niet. Tijdreizen is hopeloos verwarrend. En volgens mij vond Marius de Grote dat zelf eigenlijk ook. Weet je wat bijvoorbeeld vreemd is? Dat hij Brandewijn niets over Olivier en zijn toverkracht heeft verteld. Helemaal niets. Alsof hij wel degelijk bang was dat zoiets de geschiedenis zou veranderen.'

'Hoe weet u dat zo zeker?' vroeg Olivier, 'dat hij Brandewijn niks over mij verteld heeft?'

'Omdat ik zoiets had geweten,' bromde Quovadis. 'Maar meer nog omdat onze avonturen in het voorjaar dan heel anders zouden zijn verlopen.'

'Ja, dat is waar,' moest Olivier toegeven.

Bart schudde zijn hoofd. 'Weten jullie nog hoe Marius de Grote reageerde toen ik hem over de toekomst wilde vertellen? Hij wilde helemaal niet weten wat er ging gebeuren. Dat leek hem maar saai.'

'Verdraaid,' zei Quovadis, 'daar had ik nog niet aan gedacht. Dat heeft hij inderdaad gezegd: saai.

Waarschijnlijk vond hij het voor andere mensen ook maar beter als ze niet wisten wat de toekomst zou brengen.' Quovadis grinnikte. 'Eigenwijs was hij wel.'

'Verleden, heden, toekomst,' mompelde de baron. Hij schudde zijn hoofd. 'Ongelooflijk. Net nu, net vandaag. Alsof het zo heeft moeten zijn.'

'Wat bedoelt u, vader?' vroeg Olivier.

De baron stond op. 'Het is tijd voor je verjaardagscadeau.'

'Ik ben morgen pas jarig,' zei Olivier.

'Ik geloof niet dat ik nog zo lang kan wachten,' zei de baron. 'Niet nu ik jullie verhaal heb gehoord.'

'Wat heeft dat met mijn verjaardagscadeau te maken?' vroeg Olivier verbaasd.

'Alles,' zei de baron.

'Nu word ik wel erg nieuwsgierig, mijn beste,' zei Quovadis.

'Ik ook,' zei Aurora.

'Heel nieuwsgierig,' knikte Bart.

'Jullie zijn Oliviers beste vrienden,' sprak de baron. 'Van mij mogen jullie erbij zijn.'

'Van mij ook,' zei Olivier.

Ze volgden de baron naar de portrettenzaal waar hij de deur van het slot deed.

'Driehonderd jaar geleden,' begon hij met trillende stem, 'zijn mijn voorouders verdreven, door Kratau de Verrader. Ze hebben hier een thuis gevonden. In Slot Ergens.' De baron glimlachte. 'Drie eeuwen. Olivier is de dertiende generatie die hier opgroeit.'

Olivier voelde hoe emotioneel zijn vader was. Hij wist dat er iets heel bijzonders te gebeuren stond.

'Maar onze wortels liggen aan de andere kant van de Koudste Bergen,' ging de baron verder. 'Dat is altijd zo geweest en dat zal altijd zo blijven.' Hij schraapte zijn keel. 'Er bestaat een geheime afspraak, Olivier. Een afspraak die driehonderd jaar geleden is gemaakt, meteen na het verraad van Zilver. Een geheim pact tussen de eerstgeborenen van de familie Van Daar tot Hier. Het pact van Zilver.'

'Het pact van Zilver,' mompelde Quovadis. 'Nog nooit van gehoord.'

'Dat is niet zo heel vreemd, raadsheer, het wordt alleen aan de eerstgeboren zoon verteld. Die mag het met zijn vrouw bespreken, en zij met hún eerstgeboren zoon. Maar verder met niemand.'

'Dus moeder wist ervan?' vroeg Olivier.

De baron knikte.

'Waarom mogen wij het nu dan ook horen?' vroeg Aurora. 'Dan is het toch geen geheim meer?'

'Omdat Olivier de dertiende generatie is. Vandaag,' de baron haalde diep adem, 'vandaag komt er een einde aan een driehonderd jaar oud geheim.' Hij legde zijn hand op de deurknop.

Olivier wist niet meer goed wat hij ervan moest

denken. Hij was compleet verrast door datgene wat zijn vader vertelde. Een geheim pact?

'Olivier, jij hebt met eigen ogen gezien hoe het Dertiende Koninkrijk er ooit uitzag,' zei de baron. 'Je hebt ook gezien hoe het er tegenwoordig uitziet. Je kent verleden en heden.'

Olivier knikte.

'Dit is mijn cadeau aan jou.' De baron gaf de deur een duw. 'De toekomst.'

In het midden van de portrettenzaal stond een enorme tafel. Olivier liep er langzaam naartoe.

'Het Dertiende Koninkrijk,' zei hij verbaasd. 'Zilver.' Nu begreep hij pas waar zijn vader al die tijd mee bezig was geweest. De baron had inderdaad geklust. En hoe!

Het was een schaalmodel van het Dertiende Koninkrijk, tot in het kleinste detail nagebouwd. De Koudste Bergen, rivieren, wegen, heuvels, bossen, meren, bruggen, steden, dorpen. En Zilver.

'Magnifiek,' zei Quovadis.

'Prachtig,' zei Aurora.

'Net echt,' zei Bart.

Olivier keek naar zijn vader. 'Het is schitterend,' zei hij. 'Maar wat heeft dit met het pact van Zilver te maken?'

'Alles,' zei de baron zachtjes. 'We hebben twaalf generaties geduld betracht. Twaalf generaties waarin het land weer een beetje kon herstellen, waarin de vreselijke herinneringen konden worden verwerkt. Twaalf generaties, hier, in Slot Ergens. En nergens anders. Maar nu is het zover. We gaan het doen, Olivier, jij en ik. En iedereen die met ons mee wil. We gaan terug naar waar we vandaan kwamen. Terug naar het Dertiende Koninkrijk.'

Oliviers mond viel open.

'Glimmende gloeiende,' hoorde hij Bart fluisteren.

'Dat,' zei Aurora, 'is nog eens een avontuur!'

'Van Daar tot Hier gaat van hier tot daar,' mompelde Quovadis.

'Maar Slot Ergens dan?' stamelde Olivier. 'En onze vrienden? Ik…'

'Slot Ergens blijft van ons,' sprak de baron. 'We zullen hier van tijd tot tijd terugkeren. Maar onze toekomst, en onze afkomst, liggen in het Dertiende Koninkrijk. Daar horen we thuis.'

Olivier wist niet wat hij moest zeggen.

'Willen jullie ons even excuseren?' sprak de baron.

Quovadis, Aurora en Bart knikten en liepen naar de deur.

'Ik zou het wel weten, Olivier,' zei Bart in de deuropening.

'Ik ga in ieder geval met je mee,' zei Aurora.

Quovadis glimlachte. 'Da's heel vriendelijk van jullie, vrienden,' zei hij, 'maar voor jullie is het anders dan voor Olivier, geloof me,' en hij duwde Aurora en Bart naar buiten.

Toen Olivier en de baron alleen waren, bleef het even stil.

'Weet u het heel zeker, vader? Ik bedoel, weggaan uit Slot Ergens?'

De baron glimlachte. 'Het is goed om een doel te hebben, Olivier, iets wat je spannend vindt, of interessant, iets wat waardevol genoeg is om voor te werken. En ik denk niet dat er ooit zo'n uitdaging is geweest als deze: de wederopbouw van een heel koninkrijk. Het is zoals Aurora zei, een avontuur, een prachtig avontuur.'

Olivier knikte. Dat was waar. Het was een avontuur, van onwaarschijnlijke afmetingen. Alles, maar dan ook alles zou veranderen. Het was bijna onvoorstelbaar dat ze Slot Ergens achter zouden laten.

'Wanneer wilde u gaan?'

'Dat hangt helemaal van jou af, Olivier.'

'Van mij? Hoezo?'

'Ik heb voor mezelf besloten dat ik het wil, Olivier, al vanaf het moment dat ik ervan hoorde. Maar ik kan jou niet dwingen. Ik wil je niet dwingen.'

'En als ik er nou over nadenk en toch wil blijven?' vroeg Olivier.

'Dan gaan we niet. Dan wordt het pact van Zilver verlengd. Dan is het aan de volgende generatie. Of de daaropvolgende.' De baron glimlachte. 'Quovadis, Bart en Aurora zullen wel moeten zweren het geheim te houden.'

'Dus u laat het van mij afhangen?' Olivier kon het bijna niet geloven. 'Ook al wilt u zelf wel gaan?'

'Klopt,' zei de baron. 'Ik vind dat het Dertiende Koninkrijk opnieuw tot leven moet worden gebracht. Maar ik vind ook dat jij de kans moet krijgen om te kiezen. Op een dag ben ik er niet meer, Olivier, en dan moet jij de troon van me overnemen. Dan word jij verantwoordelijk. En zoiets werkt alleen als je dat echt wilt.'

'Ik begrijp het,' zei Olivier. Maar hij wist niet wat hij wilde. Aan één kant leek het heel aanlokkelijk, een onbeschrijfelijk avontuur. Aan de andere kant was er geen mooiere plek om te wonen dan Slot Ergens. Hier was hij geboren, opgegroeid. Hier ging hij naar school, hier woonden zijn vrienden. Dat zou hij allemaal achter moeten laten. En in ruil voor wat?

Hij gebaarde naar het schilderij. 'Wat vond moeder er eigenlijk van?'

De baron keek met een glimlach naar de beeltenis van de knappe vrouw met het donkere haar. 'Zo veel herinneringen,' zei hij zachtjes. 'Ik zou willen dat ze er vanavond bij had kunnen zijn, jongen. Dat ze jou had leren kennen. Ze zou trots op je zijn geweest.'

'Ik heb haar nooit gekend maar toch mis ik haar soms,' zei Olivier zachtjes.

De baron knikte. 'Ik begrijp wat je bedoelt.' Hij schraapte zijn keel. 'In antwoord op je vraag, Olivier: ja, zij vond dat we het moesten doen. Zij vond dat we moesten gaan.'

'Waarom vond ze dat?'

De baron antwoordde niet. Hij liep naar het schilderij en trok het een stukje van de muur. Toen zijn hand weer te voorschijn kwam, hield die een oude, vergeelde envelop vast.

'Hier. Je verjaardagscadeau. Van je moeder. Het is een brief van haar aan jou. Ik moest hem aan je geven op je dertiende verjaardag. Maar ze vindt het vast niet erg als je hem een paar uur eerder krijgt. Ik heb hem nooit gelezen maar ik vermoed dat er in staat wat je wilt weten.'

Met trillende vingers pakte Olivier de envelop aan. Een boodschap van zijn moeder!

'Neem alle tijd, Olivier,' zei de baron. 'We hebben al driehonderd jaar gewacht, een beetje langer maakt echt geen verschil.'

Olivier wachtte tot zijn vader de deur achter zich dicht had getrokken. Toen maakte hij de envelop open en begon te lezen.

De rest van de ochtend bracht Olivier alleen door. Hij dwaalde zwijgend door de gangen van Slot Ergens en maakte een lange wandeling door de sneeuw.

's Middags sprak hij uren met zijn vader. Daarna ging hij met Bart, Aurora en Quovadis in een hoekje zitten en luisterde naar wat zij te zeggen hadden.

's Avonds trok hij zich terug in de portrettenzaal en staarde naar de beeltenis van zijn moeder, de schilderijen van zijn voorvaderen en naar het schaalmodel van het Dertiende Koninkrijk. En hij dacht na.

Niemand kwam ooit te weten wat zijn moeder hem schreef, wat zijn vader hem allemaal vertelde, welke adviezen zijn vrienden hem gaven. Maar aan het eind van die eenendertigste december had Olivier een besluit genomen.

Vlak voor twaalven liep hij naar de prachtig versierde en schitterend verlichte grote eetzaal. Honderden gasten dansten vrolijk op de maat van de muziek en kregen een glas champagne uitgereikt. Buiten werd het vuurwerk in gereedheid gebracht. Olivier bleef in de deuropening staan.

De baron keek op van zijn gesprek. Aan de andere kant van de zaal deed Quovadis hetzelfde. Aurora en Bart zagen hem ook staan en deden allebei een stapje naar voren.

Het aftellen van de laatste seconden tot middernacht begon. 'Tien, negen, acht, zeven,…' Alle gasten telden luidkeels mee.

Olivier keek zijn vader in de ogen. Hij kreeg heel even het gevoel dat ze helemaal alleen waren, zonder beweging, zonder geluid. Hij kreeg een brok in zijn keel.

'... drie, twee, één!'

De klok sloeg en iedereen begon te juichen en viel elkaar in de armen. Iedereen, behalve Olivier, de baron, Bart, Aurora en Quovadis.

Toen glimlachte Olivier.

Zijn vader glimlachte terug.

En Olivier knikte.

IJS

ON'T DEKTE WE

VOLLE OCEAAN